LE PRINCE
DES NUAGES
Le Blueberry

LIVRE I

L'auteur

Né en 1976, **Christophe Galfard** intègre l'École Centrale et poursuit ses études à Cambridge, où il est l'un des rares étudiants à obtenir un doctorat en physique théorique sous la direction du célèbre astrophysicien Stephen Hawking. Spécialiste des trous noirs et de l'origine de l'Univers, Christophe Galfard a co-écrit, avec Lucy et Stephen Hawking, *Georges et les secrets de l'Univers*, paru chez Pocket Jeunesse et traduit dans plus de 35 langues.

L'illustrateur

Né en 1976, **Vincent Dutrait** intègre l'école d'illustration et d'infographie Émile Cohl. En 1997, il décroche son premier contrat à Taïwan. Amoureux de l'Asie, il n'aura de cesse de la parcourir et s'installera même en Corée du Sud. Parallèlement à son travail d'artiste, il retourne à Émile Cohl pour y enseigner la bande dessinée et l'illustration. C'est dans l'édition de romans jeunesse et fantasy que l'on peut voir la majorité de ses publications.

Du même auteur et du même illustrateur

Le Prince des Nuages, livre I :
Le Blueberry

Le Prince des Nuages, livre II :
Le matin des trois Soleils

Le Prince des Nuages, livre III :
La colère du ciel et du vent

Christophe Galfard

LE PRINCE DES NUAGES
Le Blueberry

LIVRE I

Illustrations de Vincent Dutrait

POCKET JEUNESSE
PKJ·

Loi n° 49 956 du 16 juillet 1949 sur les publications
destinées à la jeunesse : juin 2011

© 2009, Éditions Pocket Jeunesse, département d'Univers Poche.
© 2011, Éditions Pocket Jeunesse, département d'Univers Poche,
pour la présente édition.

ISBN 978-2-266-21447-6

À Mormor

PREMIÈRE PARTIE

Le Blueberry

Chapitre 1

Question n° 1

a. De quelle couleur est le soleil vu depuis l'espace ?
b. Expliquez pourquoi le ciel est bleu.

Question n° 2

À quelle altitude se trouve le nuage sur lequel est construit le Blueberry ? Illustrez votre réponse avec quelques principes fondamentaux de dynamique atmosphérique.

Question n°3

…

Premier contrôle depuis la rentrée. Les questions étaient censées être simples, les réponses élémentaires.

« Même une mouette y arriverait », avait dit M. Azul, le professeur de physique du ciel, avant d'ajouter à l'intention de Tristam : « Je te préviens, une copie blanche de plus, et tu changes de classe ! Tu retourneras avec les petits, tu m'entends ? »

Assis au fond de la classe, Tristam fixait les deux premières questions depuis plus d'une demi-heure. Il n'avait pas
trouvé la moindre réponse, et voir les autres élèves écrire le
rendait nerveux.

« Pour les mouettes, c'est facile : elles volent, pensa-t-il.
Tout est tellement plus simple quand on a des ailes ! Ils
feraient mieux de nous apprendre à voler… »

Il regarda son ami Tom Briggs, le fils du colonel Briggs,
le chef du village. Tom, installé au premier rang, n'avait
pas du tout le même genre de souci que Tristam. Il était
le meilleur élève de la classe, et l'un des rares à aimer les
cours de M. Azul. Il adorait apprendre les lois de la nature,
comprendre le fonctionnement de l'air, des nuages, des arcs-
en-ciel, des étoiles.

Tom n'avait pas arrêté d'écrire depuis le début du contrôle
et, contrairement à la plupart des autres élèves, il refusait de
faire appel à l'astuce que leur avait apprise M. Boicard pour
les aider à résoudre les problèmes de physique.

« Toute tentative de tricherie sera sévèrement punie »,
avait dit M. Azul, ce qui n'empêchait pas certains d'essayer.
Mais leur professeur les avait à l'œil. Bien calé derrière son
bureau, il vérifiait si ses élèves ne fermaient pas les yeux.

Les cours de M. Azul étaient très différents de ceux de
M. Boicard, le professeur de développement personnel,
qui était beaucoup plus populaire que son collègue. L'année précédente, M. Boicard leur avait appris à ressentir les
vents en se concentrant et en écoutant l'air frôler les murs
de l'école. Cette année, les élèves étaient passés au niveau
supérieur : il leur expliquait comment évaluer l'humidité et
la température de l'air rien qu'en fermant les yeux.

En écoutant les vents et en se concentrant comme il le leur apprenait, les élèves arrivaient déjà à voir flotter dans l'air le nuage sur lequel ils vivaient. Du coup, ils avaient compris qu'il leur suffisait de décrire les images dans leur tête pour répondre aux questions de physique de M. Azul, sans avoir besoin de potasser leur cours.

« Tout est lié, disait M. Boicard. L'atmosphère est un tout et nous vivons dedans, nous respirons son air. Faites confiance à vos sens, ils vous permettent de ressentir le monde. Fermez les yeux et concentrez-vous… »

Tristam, lui, n'avait jamais réussi à ressentir quoi que ce soit : ni l'état de l'air ni la direction des vents. Il avait beau essayer, ses visions lui montraient toujours la même chose : il voyait un ciel bleu, toujours le même, sans un souffle de vent, sans un nuage.

En tant que professeur de physique, et non de ressenti, M. Azul interdisait le recours aux visions pendant son cours. « Il ne sert à rien de voir quoi que ce soit si l'on ne comprend pas ce que cela signifie », aimait-il à répéter. Tristam n'avait vraiment pas de chance : non seulement il n'avait pas de visions, mais en plus, les rares fois où il arrivait à se concentrer quelques minutes pour écouter M. Azul, il ne comprenait rien.

Tristam leva les yeux vers la fenêtre. Le ciel était encore bleu ; cependant le soir approchait. « Allez ! s'encouragea-t-il. Essaie de réfléchir ! Le ciel est bleu, cela, on le sait. En revanche, la couleur du soleil vu de là-haut … »

Il allait abandonner pour de bon lorsqu'une idée lui traversa l'esprit. Il s'empara de son stylo et, en prenant bien soin de recopier l'énoncé pour faire plus long, écrivit :

Question n° 1

a. De quelle couleur est le soleil vu depuis l'espace ?
b. Expliquez pourquoi le ciel est bleu.

Réponses à la question n° 1

Réponse au a. : Vu de l'espace, le soleil est bleu.
Réponse au b. : Le ciel est bleu parce que le soleil est bleu.

« Trop facile ! »

Très content de lui, il s'attaqua à la deuxième question. *À quelle altitude se trouve le nuage sur lequel est construit le Blueberry ?*

Comme tous les habitants du Blueberry, Tristam savait que leur village avait été construit sur un nuage, au-dessus d'une île volcanique perdue au milieu de l'océan. Mais l'altitude du nuage, alors là, il n'en avait aucune idée. Il jeta un coup d'œil discret vers le bureau : M. Azul fixait Henry, le fils du professeur de français, qui avait les yeux fermés.

– On ne rêve pas, Henry ! ordonna-t-il en sautant sur ses pieds. On essaie de réfléchir, voyons, ce n'est pas si difficile !

Tristam en profita pour vite serrer les paupières en se concentrant. Il fallait qu'il voie l'océan, l'île, le volcan et, au-dessus, le nuage avec le village, avant que M. Azul ne le remarque.

Il commença par imaginer l'océan. Cela prit du temps, mais il persévéra : il devait absolument répondre au moins aux deux premières questions.

Une image se formait peu à peu dans sa tête. Il voyait quelques vagues. C'était mieux que tout ce qu'il avait réussi à

faire avec M. Boicard depuis la rentrée. Il essaya de ressentir le vent, et son cœur se mit soudain à accélérer. Il y arrivait ! Il y avait du vent dans sa vision, et même une île, avec une montagne au centre. Et son sommet était plat ! C'était sûrement le volcan qui se trouvait sous le Blueberry !

Le vent qui soufflait sur l'eau emportait un peu d'embruns vers les rives de l'île. Les yeux fermés, Tristam n'avait plus qu'à suivre son mouvement, à le regarder monter vers le ciel le long des flancs du volcan. S'il voyait ça, il pourrait définir, approximativement, l'altitude du nuage qui flottait au-dessus… Il y était presque, il montait les pentes du volcan…

Zut ! La vision devint floue ; il allait la perdre !

Il fit un effort surhumain pour rester concentré, et le vent de sa vision se remit à souffler beaucoup plus fort qu'un vent normal. C'étaient de vraies rafales qu'il vit glisser sur les pentes de la montagne, vers son sommet, vers le cratère. Le ciel au-dessus n'était pas bleu : il était blanc, d'un blanc inquiétant et tournoyant, un blanc qu'il ne connaissait pas, qui remplissait tout. Tristam chercha dans ce ciel étrange le nuage sur lequel était construit le Blueberry, mais il ne le trouva pas. Le Blueberry n'était pas là ! Concentré à l'extrême, il se mit à respirer fort.

— Mais tais-toi ! grogna son voisin, excédé.

— Tristam ! s'exclama M. Azul. Je te vois ! Tu me prends pour qui ?

Tristam ouvrit les yeux, et sa vision disparut. Il n'en revenait pas de ce qui s'était passé. Il n'avait pas trouvé le nuage du Blueberry, mais il avait réussi ! C'était la première fois qu'il y arrivait : il avait ressenti l'air ! Il adressa un énorme sourire à M. Azul.

Debout près de son bureau, celui-ci le fixait de ses yeux noirs :

– Je veux te voir après l'étude.

« Et mince ! pensa Tristam, le cœur encore battant d'excitation. J'y étais presque… » Il regarda par la fenêtre, s'attendant à découvrir le ciel blanc de sa vision.

Eh bien, non : le ciel était bleu sombre, dégagé, sans nuages, complètement différent de ce qu'il avait vu. Sa vision ne correspondait pas à la réalité. Il avait encore échoué !

Tristam baissa les épaules, déçu ; en même temps, sans se l'avouer, il était rassuré que le ciel ne soit pas aussi menaçant que ce qu'il avait imaginé.

Soudain, dans un éclair de génie qu'il n'avait jamais connu auparavant, il comprit. Il n'avait pas vu le Blueberry sur son nuage, mais il avait quand même la réponse à la deuxième question.

Question n° 2

À quelle altitude se trouve le nuage sur lequel est construit le Blueberry ? Illustrez votre réponse avec quelques principes fondamentaux de dynamique atmosphérique.

Réponse à la question n° 2

Cela dépend si on mesure depuis la mer ou depuis le haut du volcan.

« Je suis sauvé ! pensa-t-il sans même relire les questions suivantes, dont il n'avait pas compris un mot. Je vais rester dans la classe de Tom ! »

Fier de lui, il fixa la pendule sur le mur en bois au-dessus du tableau noir : encore une demi-heure avant la fin de l'interrogation !

Les minutes passaient avec une lenteur effroyable.

Il regarda de nouveau le ciel vide. Il n'y avait pas le moindre reflet rouge qui permettrait d'imaginer le soleil couchant. Pas même une mouette.

« Encore un coucher de soleil manqué… », se désola-t-il.

Écœuré, il posa le menton sur ses bras. Pourquoi fallait-il qu'il aille à l'école ? Il ne trouvait pas ça normal d'être enfermé dans une classe toute la journée.

« Ce n'est pas Myrtille qui penserait une chose pareille… », se dit-il quand son regard s'attarda sur les cheveux châtains de la petite élève modèle assise deux rangées devant lui.

L'eau et les nuages

En empruntant de la chaleur à ce qui est autour d'elle, l'eau liquide peut se transformer en vapeur d'eau. Cela s'appelle l'évaporation.

Près de la moitié de l'énergie du Soleil qui arrive à la surface de la Terre est utilisée pour transformer l'eau liquide en vapeur d'eau.

L'autre moitié réchauffe le sol et fait monter l'air qui emporte vers le ciel l'eau évaporée.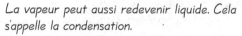

La vapeur peut aussi redevenir liquide. Cela s'appelle la condensation.

En s'élevant vers le ciel, la vapeur d'eau chauffée par le Soleil se refroidit et finit par atteindre une altitude où il fait trop froid pour rester à l'état de vapeur. Elle se condense alors autour de microscopiques poussières qui flottent dans l'air, et devient des gouttelettes d'eau ou des cristaux de glace. À ce stade, la vapeur d'eau rend à l'atmosphère la chaleur que le Soleil lui a donnée. Une grande partie de notre atmosphère se réchauffe de cette manière.

Contrairement à la vapeur d'eau qui est invisible, les gouttelettes d'eau sont visibles. Quand il y en a beaucoup, elles deviennent des formes blanches dans le ciel. Nous les appelons des nuages.

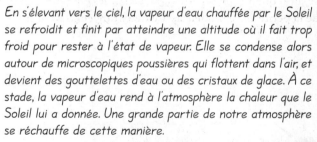

Pourquoi a-t-on froid quand on est mouillé ?

Quand on est mouillé, l'eau sur notre peau s'évapore en empruntant de la chaleur à notre corps et à l'air qui est autour. Du coup, l'air et la peau se refroidissent, et on a froid.

L'altitude à laquelle la vapeur d'eau se condense en goutte-lettes et devient visible s'appelle l'altitude du point de rosée. C'est là que commencent les nuages et c'est pour cela que les nuages les plus bas ont une base plate.

Quand il y a un obstacle au sol, les vents l'utilisent comme tremplin et cela aide l'air à monter. Il n'est donc pas rare de voir des nuages se former au-dessus des montagnes, des îles ou des volcans et rester là quelque temps, sans bouger.

Une fois apparus, les gouttelettes et cristaux de glace pourraient d'ailleurs rester à cette altitude et ne plus bouger. Tous les nuages seraient alors plats. Mais la vapeur, en se condensant, rend la chaleur qu'elle avait empruntée. L'air environnant la récupère et se réchauffe, continue à monter et fait gonfler le toit des nuages.

Comme elle dépend de l'état de l'air (température, taux d'humidité, pression...), l'altitude du point de rosée varie d'un endroit à un autre et d'un jour à l'autre. C'est pour cela que les nuages les plus bas du ciel ne sont pas tous les jours à la même hauteur.

Chapitre 2

Myrtille était une nouveau-née quand son père, le roi des Nuages du Nord, avait ordonné au colonel Briggs de fuir avec elle. « Le Tyran va nous attaquer, c'est inévitable, avait-il dit, faisant les cent pas dans son bureau. Ma fille n'a plus sa mère, et il faut qu'elle grandisse en sécurité. Je ne peux la confier qu'à vous. »

Agenouillé devant son roi, le colonel avait promis : « Sire, j'élèverai la princesse comme ma propre fille. »

Aussitôt, il s'était mis au travail. Il avait fait préparer un nuage de voyage, où il avait stocké du bois de charpente, du carburant et des vivres. Puis il avait dressé la liste des hommes et des femmes qu'il emmènerait avec lui.

Le colonel avait convoqué les meilleurs nuagiers du Nord, des hommes capables de fabriquer un nuage solide, sélectionné des charpentiers, des agriculteurs, des boulangers. Il avait expliqué la situation aux professeurs royaux, et les meilleurs d'entre eux avaient accepté de le suivre pour que Myrtille reçoive une éducation digne d'une future reine. Puis ils étaient partis, laissant derrière eux un royaume sur le point de perdre une guerre qui ne durerait qu'un jour. Mais cela, le colonel ne devait l'apprendre que bien plus tard.

Le jour de la bataille, les fugitifs survolaient l'océan et une tempête d'une violence terrible avait éclaté, détruisant le moteur du nuage de voyage.

Ils avaient dérivé ensuite pendant plusieurs jours au-dessus des flots, à la merci des vents. Finalement, ce qui restait du nuage de voyage s'était stabilisé à la verticale d'une île volcanique perdue au milieu de l'océan et ne bougea plus.

Le colonel avait ordonné aux nuagiers, aux architectes et aux charpentiers de construire une usine à vent pour transformer leur nuage de voyage en un nuage solide. Ils y avaient ensuite bâti un village, qu'ils appelèrent le Blueberry. Les agriculteurs avaient planté du riz autour des habitations, et tout le monde s'était installé en attendant de recevoir des nouvelles de leur roi.

Un matin, quelques mois plus tard, les villageois avaient trouvé la carcasse d'une moto des airs qui s'était écrasée sur la place du village pendant la nuit. Une femme gisait, évanouie, à côté de l'engin. Elle portait des habits différents des leurs, comme ceux des habitants des Nuages du Centre, le royaume du Tyran. Autour du cou, elle avait un collier, au bout duquel pendait un étrange cristal. En son centre rayonnait un arc-en-ciel.

Les villageois avaient accueilli l'inconnue venant du royaume ennemi avec suspicion, mais, s'étant aperçus qu'elle était enceinte, ils avaient décidé de ne pas la chasser. Cependant, ils avaient refusé qu'elle vive parmi eux. Pour la tenir à l'écart, ils lui avaient construit une petite maison au milieu des rizières, à mi-chemin entre le village et l'usine à vent,

et lui avaient interdit de venir au village. Seul le colonel lui rendait parfois visite.

La femme s'appelait Kae Drake. Trois mois plus tard, elle avait donné naissance à un fils, qu'elle avait appelé Tristam. Elle ne savait pas qu'il deviendrait, de l'avis unanime de ses professeurs, l'élève le plus mauvais de tous les temps.

Tout cela s'était passé il y a douze années ; Myrtille et Tristam étaient maintenant dans la même classe, mais ils n'avaient pas du tout le même avenir devant eux. Myrtille était une princesse, héritière du trône des Nuages du Nord, alors que Tristam venait d'un royaume ennemi.

Au début de chaque année, le chef du village répétait aux élèves : « Un jour, le roi reconquerra son royaume, et Myrtille sera reine. Vous ferez alors partie de son gouvernement. Il faut vous y préparer. Travaillez bien. »

Tous les enfants du Blueberry étaient donc destinés à un brillant avenir. Tous, sauf Tristam, que les villageois regardaient toujours d'un mauvais œil.

Le garçon soupira de nouveau : ses camarades avaient tellement plus de chance que lui…

« Si au moins j'avais le droit de ne pas aller à l'école… » pensa-t-il. Un bruit de chaise raclant le sol le tira de sa rêverie. C'était Tom qui se levait pour aller déposer sa copie sur le bureau de M. Azul. Comme toujours, il avait terminé le premier. Il sortit de la classe.

Quelques minutes plus tard, Myrtille rendait elle aussi sa copie, suivie d'autres élèves, dont Jerry, le fils aîné du nuagier en chef. Tristam se mêla à eux et glissa sa copie au milieu de la pile.

Dans le couloir, Jerry se vantait déjà, comme à son habitude. Selon lui, le contrôle était mille fois trop facile. Quelques élèves, impressionnés, l'écoutaient en silence.

À côté, Myrtille parlait avec une amie. Elle tourna les yeux vers Tristam, qui regarda tout de suite ailleurs. Apercevant Tom, qui lisait assis contre un mur, il s'approcha et se laissa glisser par terre à côté de lui.

— Comment tu t'en es sorti ? voulut savoir son ami.

— Pas trop mal. C'était facile.

— Ah bon ? s'étonna Tom.

Il n'avait jamais entendu Tristam trouver un devoir facile.

— Tu as répondu quoi, pour le soleil dans l'espace ? demanda-t-il, un peu inquiet.

— Ben… qu'il est bleu.

— Tu rigoles ?

— Pourquoi ? Il n'est pas bleu ?

— Mais non ! Il est blanc !

— Et le ciel, alors ?

— Le ciel est bleu parce que…

— Je suis fichu ! gémit Tristam en se prenant la tête dans les mains. M. Azul ne voudra jamais que je reste avec vous ! Il va me mettre avec les petits. Tout le monde va se moquer de moi.

— Mais non, fit Tom. On va demander que tu repasses le contrôle. Tu l'as déjà fait plein de fois.

— Et ça n'a jamais servi à rien.

— Écoute ! J'ai vu un petit livre à la bibliothèque. Dedans, il y a tout ce que tu dois savoir. Si tu l'apprends par cœur ce soir, tu l'auras sans problème, ce contrôle. Viens, on va le chercher ! On en a pour cinq minutes, on sera de retour pour l'étude.

Tristam n'avait jamais mis les pieds à la bibliothèque, et l'idée de se retrouver dans une salle pleine de livres ne l'enchantait pas du tout. Cependant, il suivit Tom, qui avait l'air de savoir ce qu'il faisait. De toute façon, il n'avait rien à perdre…

En marchant derrière son ami le long du couloir central de l'école, il se rappela sa vision. Si seulement il pouvait ressentir les vents, comme les autres, au lieu de rêver n'importe quoi !

Il était furieux d'avoir échoué si près du but. En plus, il se sentait tendu et mal à l'aise. La tempête qu'il avait vue l'avait mis dans un drôle d'état : elle paraissait si réelle ! Il essaya d'y repenser. Il avait bien vu une île et un volcan, et les vents qui glissaient le long de ses flancs vers le cratère. Mais pas de nuage perché au-dessus, pas de Blueberry.

« Je ne suis vraiment pas doué… », se dit-il une fois de plus en entrant dans la bibliothèque.

La lumière

Dans notre Univers, l'énergie peut prendre plusieurs formes, comme par exemple l'énergie électromagnétique, l'énergie gravitationnelle, l'énergie nucléaire.

La plupart des scientifiques pensent que toutes ces énergies ne sont en fait que des aspects différents d'une seule énergie suprême qui existait aux tout premiers instants de notre Univers, juste après le Big Bang, et qui s'est différenciée plus tard.

Des messagers permettent de transmettre ces énergies d'un endroit à un autre. Sans eux, il ne se passerait pas grand-chose car rien ne bougerait.

Un de ces messagers s'appelle le photon, c'est l'unité de base de la lumière.

Nos yeux sont des récepteurs à photons. Mais ils ne peuvent voir que des photons dont l'énergie, particulière, correspond à ce que l'on appelle la lumière visible.

La plus puissante des sources de lumière visible est le Soleil.

Nos yeux voient de la lumière que certains animaux ne perçoivent pas, tandis que certains animaux voient de la lumière que nous ne percevons pas. Les oiseaux, par exemple, peuvent voir la lumière ultraviolette. Pas nous.

Mais avec les instruments que nous avons inventés, nous pouvons presque tout détecter, y compris les ultraviolets et les infrarouges, qui sont invisibles à nos yeux.

Chapitre 3

L'école du Blueberry avait deux entrées : la principale donnait sur la place du village ; l'autre, qui servait d'issue de secours, sur les rizières du Sud. Un long couloir traversait le bâtiment, reliant les deux portes. Du couloir, on accédait aux bureaux des professeurs, à la salle de cours des petits et à celle des grands et à la bibliothèque.

Cette dernière avait la forme d'une étoile mal dessinée. En son centre, il y avait un coin de lecture, meublé de deux longues tables et de quelques chaises ; tout autour, des étagères allant du sol au plafond, où s'entassaient des centaines et des centaines de volumes.

À peine entré, Tom alluma les lumières et balaya les livres d'un œil expert, à la recherche de celui qu'il voulait donner à Tristam. Il fouilla une première pile, sans le trouver. Il s'attarda à celle d'à côté, puis à la suivante.

Debout près de la porte, Tristam regardait les rayonnages : il y avait des livres partout ! Il n'avait jamais imaginé qu'il puisse en exister autant.

Découragé, il fit promener son regard jusqu'à un couloir sombre, de l'autre côté de la pièce. Un écriteau était suspendu à une corde qui en barrait l'accès. Tristam traversa la salle et lut : *Interdit aux élèves.*

Intrigué, il se pencha par-dessus la corde. Là aussi, il y avait des étagères remplies de livres, plongées dans la pénombre.

— Ça y est ! s'exclama Tom derrière lui. Je l'ai ! Viens, on s'en va.

— Il mène où, ce passage ? demanda Tristam sans se retourner.

— C'est le couloir réservé aux profs, répondit Tom. On n'a pas le droit d'y aller.

— Ah bon ? fit Tristam, qui n'avait jamais imaginé que des livres puissent être interdits. C'est quel genre de bouquins ?

— Des manuels, je crois. Non ! Tris ! Reviens ! souffla-t-il en baissant la voix.

Tristam venait de se faufiler sous la corde.

— Comme ça, on saura ce que les profs lisent ! rigola-t-il en avançant dans le couloir mystérieux.

Malgré l'obscurité, il parvint à déchiffrer quelques titres, qu'il lut à voix haute pour son ami :

Mille façons de prendre un jacuzzi.

Pourquoi les femmes craignent le tonnerre (et comment les rassurer).

Cent blagues pour un jour de pluie.

— C'est n'importe quoi, ces bouquins ! marmonna-t-il.

— Reviens ! le supplia Tom. Ne reste pas là ! Si un prof te surprend là-dedans, tu peux dire adieu au contrôle !

Mais Tristam continua à avancer ; bientôt, il disparut dans le noir. Quelques secondes plus tard, ce que Tom craignait arriva : des bruits de talons résonnèrent à l'entrée de la biblio-thèque. Sans réfléchir, il plongea sous la corde et se précipita vers Tristam juste au moment où la voix aiguë de Mlle Peel, la principale du collège, perça le silence.

— Il y a quelqu'un ? fit-elle en regardant dans les allées illuminées.

Plaqués contre le mur, Tristam et Tom retenaient leur souffle.

— Personne ! s'exclama-t-elle. Bon sang, mais quand ces gamins apprendront-ils à éteindre la lumière !

Elle attrapa un livre et s'assit dans la salle de lecture au moment où le son de la cloche annonça le début de l'étude. Décidant que mieux valait manquer l'étude que se faire pren-dre dans le couloir interdit, les deux amis reculèrent à tâtons aussi loin que possible. Au fond du passage, ils tombèrent sur une cloison. Ils étaient pris au piège ! Il ne leur restait plus qu'à attendre que Mlle Peel s'en aille.

Dix minutes passèrent, et la principale n'avait toujours pas bougé. Les deux garçons s'assirent par terre.

— C'est ta faute, murmura Tom. On va être punis, c'est sûr…

— Mais tais-toi ! chuchota Tristam. Elle va nous entendre.

— Si ça se trouve, elle va nous enfermer là pour la nuit…, gémit Tom au bout de vingt minutes. On n'a pas le choix, il faut qu'on se rende…

— Ne dis pas n'importe quoi !

La cloche sonna de nouveau : l'étude était finie. M. Azul devait déjà être à leur recherche. Si seulement Mlle Peel pouvait s'en aller ! La sonnerie n'avait pas fini de résonner dans l'école que leur professeur entra dans la bibliothèque. Du fond de leur cachette, Tristam et Tom le virent s'arrêter devant sa collègue.

— Bonsoir, Anne, fit-il, l'air très en colère.

— Bonsoir, John. Oh ! Mais vous ne semblez pas de bonne humeur ! Que vous arrive-t-il ?

— Vous n'auriez pas vu Drake, par hasard ? Ou Briggs ?

— Non. Que s'est-il passé ?

— L'année commence juste, et Drake a déjà eu le culot de tricher, de manquer l'étude et de ne pas se présenter à une convocation. En plus, il a entraîné Briggs avec lui.

— Et vous croyez vraiment que Drake aurait amené Briggs ici ? *À la bibliothèque ?*

— Qui sait les bêtises dont ce garçon est capable ! L'an dernier, il a bien essayé de voler en sautant du toit de l'école, non ? Par ailleurs, Jerry les a vus entrer ici.

Tristam grinça des dents.

— Quel sale cafteur, celui-là, alors…

— On est cuits ! lâcha Tom.

Dans la salle de lecture, Mlle Peel ferma son livre et fixa M. Azul.

— John, et si vous laissiez Drake respirer un peu ? Cela lui ferait du bien, et à vous aussi.

— Pourquoi le colonel défend-il ce garçon, je ne le comprendrai peut-être jamais, dit le professeur, mais ce que *vous* ne comprenez pas, c'est que cet enfant a besoin d'autorité et qu'il mérite un sacré savon ! Si on le laisse agir à sa guise, il va continuer à se croire tout permis. Qui sait comment les autres vont réagir ! Je vous rappelle que j'ai seize élèves ! C'est énorme !

— Oui, c'est beaucoup. Il nous faudrait un professeur de plus. Vous n'aurez qu'à vous plaindre au colonel ce soir. Vous n'avez pas oublié que nous sommes invités à dîner chez lui, j'espère ?

— Ce soir ? s'alarma M. Azul. Mais… ça ne m'arrange pas du tout ! Je dois corriger mes copies !

— Eh bien, elles devront attendre. Les oiseaux sont enfin arrivés, John. Le colonel a reçu des nouvelles de notre roi.

— Ce n'est pas possible ! s'exclama M. Azul.

Soudain, le bruit sourd d'un livre tombant par terre résonna dans la bibliothèque : paniqué à l'idée que ses professeurs viendraient chez lui justement le soir où il avait fait une bêtise, Tom avait perdu l'équilibre et heurté une étagère. Les deux amis se figèrent en voyant M. Azul et Mlle Peel se tourner dans leur direction.

— Ils ne seraient quand même pas allés là…, murmura M. Azul.

Tom et Tristam retinrent leur souffle. Leur professeur s'était avancé jusqu'à l'entrée du couloir interdit et scrutait l'obscurité tout en fouillant dans ses poches.

— Anne ? Auriez-vous votre lampe torche ?

— Elle est là, tenez. Vous les avez vus ?

M. Azul alla chercher la torche sans répondre.

Les deux garçons se plaquèrent contre la cloison du fond, qui vacilla soudain et s'ouvrit. Surpris, ils basculèrent en arrière et dégringolèrent sur le sol incliné d'un long couloir souterrain. Une dizaine de mètres plus bas, une porte en bois massif arrêta leur chute. Ils levèrent les yeux : une ampoule luisait faiblement au-dessus de la porte battante qu'ils avaient traversée et qui se balançait encore sur ses gonds.

Tristam sauta sur ses pieds et courut l'immobiliser. Le temps qu'il l'atteigne, elle s'était refermée et ne s'ouvrait plus. Ils étaient coincés !

Quelques instants plus tard, le professeur détacha la corde barrant l'accès au couloir et fit quelques pas dedans, éclairant le sol. Quand il parvint au bout, il trouva par terre un petit livre expliquant comment séduire une femme en lui parlant des étoiles. Il ne se souvenait pas de ce traité et le ramassa en se demandant par quel miracle il avait atterri là. Mais il était bien content : cela pouvait toujours servir... Il le glissa dans sa poche et retourna dans la salle de lecture discuter avec Mlle Peel des nouvelles du roi.

Les couleurs

La lumière visible provenant du Soleil contient toutes les couleurs.

En se propageant dans l'espace, ces couleurs se mélangent, se superposent et donnent du blanc. C'est pour cela que le Soleil, vu depuis l'espace, est blanc.

La lumière (et donc le photon) peut se comparer à une onde, c'est-à-dire à des petites vagues qui avancent à la vitesse de 299 millions 792 mille et 458 mètres par seconde quand rien ne vient les freiner.

La couleur de la lumière dépend de la longueur entre deux vagues successives. Cette distance s'appelle la longueur d'onde. Voici comment notre œil la perçoit :

- Lumière violette pour une distance entre 2 crêtes comprise entre 380 et 450 milliardièmes de mètre (nm).
- Lumière bleue pour une distance entre 2 crêtes comprise entre 450 et 495 milliardièmes de mètre (nm).
- Lumière verte pour une distance entre 2 crêtes comprise entre 495 et 570 milliardièmes de mètre (nm).

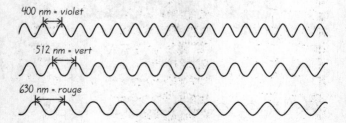

400 nm = violet

512 nm = vert

630 nm = rouge

- *Lumière jaune pour une distance entre 2 crêtes comprise entre 570 et 590 milliardièmes de mètre (nm).*

- *Lumière orange pour une distance entre 2 crêtes comprise entre 590 et 620 milliardièmes de mètre (nm).*

- *Lumière rouge pour une distance entre 2 crêtes comprise entre 620 et 750 milliardièmes de mètre (nm).*

Il est possible de transformer une couleur en une autre. Le violet, par exemple, devient bleu, vert, jaune, orange et enfin rouge lorsque sa longueur d'onde augmente. On appelle cela le décalage vers le rouge.

Inversement, lorsque la longueur d'onde de la lumière diminue, sa couleur se décale vers le bleu et le violet et on appelle cela le décalage vers le bleu.

Lorsque les étoiles bougent très vite dans l'espace, leurs lumières se décalent dans un sens ou dans l'autre, et cela nous permet de savoir si les étoiles se rapprochent ou s'éloignent de nous. S'il y a décalage vers le rouge, alors l'étoile s'éloigne de nous, et s'il y a décalage vers le bleu, alors l'étoile se rapproche.

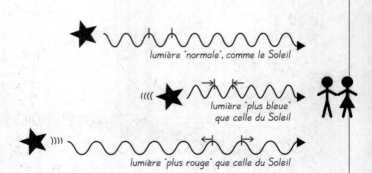

lumière "normale", comme le Soleil

lumière "plus bleue" que celle du Soleil

lumière "plus rouge" que celle du Soleil

Chapitre 4

L'oreille collée contre la cloison, Tristam écoutait les pas assourdis de M. Azul s'éloigner tandis que Tom examinait la porte qui avait arrêté leur chute.

— Ça va ? chuchota Tristam en redescendant vers lui.

— Non, ça ne va pas, mais alors pas du tout ! On aurait mieux fait de se rendre. Ils sont encore en haut ?

– Oui, mais le passage s'est refermé. On ne peut plus passer.

Leurs voix résonnaient étrangement dans le couloir, dont les murs semblaient très épais.

– On est où ? demanda Tristam en regardant la porte en bois massif.

– Je n'en sais rien !

– Bon, de toute façon, on n'a pas le choix. Il faut que l'on trouve un moyen de sortir d'ici, déclara Tristam en appuyant sur la poignée.

Le battant était lourd, mais en tirant dessus à deux ils finirent par l'entrouvrir. Une faible lueur rosée apparut derrière ; un vent humide leur balaya le visage. Ils ouvrirent la porte en grand, et restèrent bouche bée : de l'autre côté, il n'y avait plus de murs, juste un brouillard rose, très dense, dans lequel s'enfonçait une sorte de chemin. La brise qui déplaçait la vapeur colorée faisait apparaître, puis disparaître, des poutres verticales dont le haut se perdait dans cette brume irréelle.

– Tu as vu ! s'exclama Tristam. Il y a un chemin !

– Évidemment que j'ai vu, fit Tom, je ne suis pas aveugle.

Tristam tâta le sol du bout du pied pour vérifier si le passage était praticable. Il l'était. Il s'avança dessus et agita les bras dans la lumière diffuse qui le baignait. Sa main ne rencontra pas d'obstacle ; de petits tourbillons de vapeur se créèrent autour de ses poignets.

– On ne devrait pas être là, grogna Tom, resté dans le couloir. C'est dangereux !

– À mon avis, les murs sont cassés, dit Tristam.

– Il n'y a jamais eu de murs. C'est un pont ! Un pont suspendu. On est à l'intérieur du nuage, sous le village.

– Pourquoi auraient-ils mis un pont sous le village ? C'est idiot !

– Ils en avaient peut-être besoin pour construire le Blueberry ou pour autre chose. De toute façon, on ne peut pas y aller, on va se tuer ! Il faut remonter ! On va hurler, et M. Azul et Mlle Peel vont nous ouvrir.

Mais Tristam ne l'écoutait plus. Fasciné, il regardait les vapeurs rosées se déplacer doucement autour de lui, poussées par le vent.

– Dis donc, fit-il quelques instants plus tard, si on allait voir où il mène, ce truc ? Peut-être qu'il y a un secret au bout, ou une sortie.

– Tris, c'est vraiment dangereux, tu ne te rends pas compte…

– Tu n'as qu'à rester ici, lança Tristam en s'éloignant sur le chemin. Je te raconterai à mon retour.

– Arrête ! On a déjà assez d'ennuis comme ça ! Surtout toi, d'ailleurs.

Mais Tristam ne s'arrêta pas. À chaque pas, sa silhouette, enveloppée de brume rose, devenait plus floue.

– Tris ! Reviens ! cria Tom.

Tristam ne l'entendait plus ; il finit par disparaître complètement dans le nuage.

Tom s'assit sur le seuil et fixa la lueur rosée. Contrairement à son ami, il savait d'où venait cette couleur : c'était le soleil couchant qui se reflétait dans les myriades de gouttes d'eau qui composaient le nuage.

Il se dit que Tristam était bien courageux de s'aventurer, seul, au-dessus du vide.

Soudain, il comprit la raison de ce courage : son ami ne connaissait rien à rien ! Et lui l'avait laissé prendre des risques ! Tom se releva d'un bond et courut vers Tristam en dérapant sur le sol, terriblement glissant. L'air saturé d'humidité imprégnait ses vêtements et ses cheveux.

– Tris ! Attends-moi !

Quand il eut rejoint l'inconscient, celui-ci lui sourit :

– J'aurais parié que tu me suivrais ! Figure-toi qu'en fait il n'y a pas grand-chose à voir, ici. C'est bien joli, tout ce rose, mais on s'ennuie un peu.

« Calme-toi, se répétait Tom, hors d'haleine. Tout va bien se passer. Explique-lui clairement où il est, et ramène-le dans le couloir. »

– Tris, fit-il après avoir repris son souffle, je te répète, on est dans le nuage, sous le Blueberry. Les nuages, c'est de l'eau et… et le sol glisse, et si on tombe…

– Tu te moques de moi ? l'interrompit Tristam. Si les nuages, c'était de l'eau, ils ne pourraient pas flotter dans le ciel ! Ce n'est pas parce que je ne suis pas très fort en cours qu'il faut me prendre pour un crétin.

– Non, c'est vrai ! Je ne rigole pas !

Une rafale de vent soudaine les poussa vers le bord de la passerelle.

– Au secours ! hurla Tom en se jetant à quatre pattes. À l'aide !

– Mais qu'est-ce qui te prend ? lâcha Tristam. Tu es ridicule !

Le vent cessa de souffler. Tristam regarda d'où il était venu. Tom, tout tremblant, essayait de se calmer.

– Il est bizarre, ce vent... remarqua Tristam. On ne le sentait pas à midi.

– C'est normal, il vient de l'usine à vent. En haut, on ne le sent pas.

– Mais... tu trembles ! Qu'est-ce que tu as ?

– Tu ne te rends pas compte, si on tombe, on est morts !

– Pourquoi veux-tu qu'on tombe ? On va faire attention, c'est tout. Et puis, même si les nuages étaient faits d'eau, ce ne serait pas grave. Ce n'est pas dangereux, l'eau. On n'en meurt pas, même si on tombe dedans. T'es drôle, quand même.

Tom, toujours à quatre pattes, regardait Tristam avec désespoir.

– Mais tu sais quoi, au juste ?

– Bien plus qu'on ne croit, affirma Tristam. Le problème, c'est que, parfois, j'oublie.

– Tu sais à quoi sert l'usine à vent ?

– Évidemment ! Elle maintient notre village sur le nuage.

– Et un nuage, tu sais ce que c'est ?

Tristam plissa le front pour montrer qu'il réfléchissait, puis secoua la tête.

– Quand l'océan, fit Tom en claquant des dents, quand l'océan est réchauffé par le soleil, l'eau s'évapore. Tu te souviens de ça, quand même ?

– L'eau s'évapore, répéta Tristam, qui s'approcha du bord du pont pour tenter d'entrapercevoir l'océan à travers le brouillard rose.

– Tris, s'il te… s'il te plaît, ne te penche pas…

– Ça veut dire quoi, *s'évapore* ? demanda Tristam en revenant au centre du chemin.

– C'est quand l'eau se… se transforme en vapeur.

– Ah oui, ça, je le savais ! Une fois, j'ai oublié un verre plein sous mon lit pendant une bonne semaine, et quand je l'ai retrouvé, l'eau avait disparu !

L'ignorance de Tristam commençait à exaspérer Tom, mais il continua quand même :

– Comme le soleil chauffe l'air près de la surface de l'eau, l'eau s'évapore, et la vapeur monte dans le ciel et… et en montant, elle refroidit parce que… parce que, plus on s'élève, plus l'air est frais.

– Ah bon ?

– Ben oui.

– C'est pour ça qu'il fait si froid chez nous !

– Ce n'est pas ça qui est important, laisse-moi finir ! Quand la vapeur est à la bonne hauteur, là où il fait pile assez froid, elle redevient de l'eau, et ses gouttes forment un nuage.

Tristam fronça les sourcils et regarda autour de lui.

– Alors, les nuages sont vraiment faits avec de l'eau ? De l'eau rose ?

Il examina les gouttelettes transparentes collées à son pull et à sa peau. Il les goûta : aucun doute, c'était bel et bien de l'eau.

– L'eau rose provient de l'océan ! pensa-t-il à voix haute. C'est dingue !

Désespéré, Tom se prit la tête entre les mains : son ami était vraiment un âne.

— Mais non ! La couleur vient du soleil qui se couche, et dont les rayons se reflètent dans les gouttes d'eau, soupira-t-il. L'eau n'est pas rose.

— Et comment tu sais tout ça ?

— Tu crois qu'on fait quoi à l'école ? répliqua Tom, qui ne tremblait plus du tout. C'était même une des questions du contrôle de tout à l'heure !

— Ah bon ? fit Tristam en haussant les sourcils.

— Tu te souviens de la deuxième question ? voulut savoir Tom.

— Tom, fais pas ton Jerry ! L'interro est terminée, pas la peine d'en parler pendant des heures.

— Elle demandait à quelle altitude se trouve le Blueberry. Tu veux connaître la réponse ? lança Tom, à bout de nerfs.

Comprenant qu'il valait mieux ne pas trop le chercher, Tristam choisit de feindre l'enthousiasme.

— Dis-moi, je t'écoute !

— C'est l'altitude à laquelle il fait juste assez froid pour que la vapeur d'eau redevienne des gouttes. Six mille pieds.

Tristam dévisagea son ami. Il ne s'attendait pas du tout à cette réponse, et se demandait si ce n'était pas une blague.

— Qu'est-ce que tu racontes ! Six mille pieds ?

— Oui. Ça veut dire que, si on tombe, on meurt !

— Pourquoi tu comptes en pieds ? Et puis, quel genre de pieds ? Des gros ? Des petits ?

— Un pied, c'est une mesure, imbécile ! Il ne s'agit pas de la longueur des pieds de quelqu'un ! Six mille pieds, en mètres, ça fait deux mille mètres ! Si le vent nous fait glisser et qu'on tombe, on s'écrasera sur l'océan ou sur le volcan, et je peux te dire que, depuis cette hauteur, c'est pareil ! Il n'y a pas de plancher sous le pont !

— Pas de plancher ? Pas de pl... Pourquoi tu me l'as pas dit tout de suite ? hurla Tristam en regardant autour de lui, affolé. T'es malade ! Faut qu'on retourne à la bibliothèque !

La colère de Tom disparut : Tristam avait compris...

Le vent se leva de nouveau, et un son aigu leur vrilla les oreilles.

— Ça ressemble au bruit qu'on entend depuis chez moi, dit Tristam, l'air inquiet, en se jetant à quatre pattes à côté de son ami.

— L'usine à vent ! cria Tom. Elle va lancer une rafale pour retenir le village ! Si on est pris dedans, on est fichus ! Faut qu'on se dépêche de partir d'ici !

— Regarde ! lâcha Tristam.

À une vingtaine de mètres devant eux, les contours d'une porte se dessinaient dans le brouillard, devenu rouge. Sans réfléchir, les deux amis se précipitèrent vers elle, abandonnant l'idée de regagner la bibliothèque. Une tempête se levait ; ses rafales les faisaient dangereusement glisser sur la surface humide du pont suspendu.

Arrivé au bout, moitié en courant, moitié en rampant, Tristam tourna la poignée de la porte, qui s'ouvrit à la volée. Le vent s'engouffra dedans, arrachant la poignée à la main de Tristam. La porte claqua violemment contre le mur d'un couloir sombre. Tristam et Tom se jetèrent à l'intérieur et essayèrent de refermer la porte. On eût dit qu'elle pesait une tonne ! Ils poussèrent de toutes leurs forces et finirent par y arriver. Plongés dans le noir le plus total, ils reprirent leur souffle en écoutant le vent hurler dehors. Tristam était ravi.

– On a réussi ! On a traversé le nuage !

Il longea à tâtons le couloir en pente montante.

– T'es où ? demanda Tom. Tu vas où ?

– Il nous faut de la lumière ! Il doit bien y avoir une lampe quelque part.

– Attends-moi !

Au bout de dix mètres, le sol devint plat. Les murs du couloir s'écartèrent : ils étaient arrivés dans une pièce. Tristam tapota la cloison, trouva un interrupteur et alluma la lumière.

L'endroit était tellement bas qu'ils auraient pu toucher le plafond en sautant. Les murs étaient recouverts d'étagères ployant sous des livres reliés de cuir.

– Tout ça pour ça ! fit Tristam, écœuré. Encore des bouquins ! Quelle poisse !

– La bibliothèque secrète ! s'exclama Tom en se ruant à l'intérieur. Quelle chance !

Il fit le tour de la pièce en courant, s'agenouilla devant une étagère, se déplaça vers la suivante, puis une autre, et une autre encore. Enfin, il se releva et continua son tour en sautillant de joie. Il était au paradis.

Soudain, il lut quelque chose sur une petite étiquette collée à l'extrémité d'une étagère et s'arrêta net. Il regarda les livres placés à côté. Doucement, la main tremblante et un large sourire aux lèvres, il en glissa quelques-uns hors de la rangée.

Chapitre 5

Tristam se grattait la tête en regardant Tom, qui, assis par terre, était plongé dans ses livres comme s'il était seul dans sa chambre. « C'est quand même une sacrée tête ! pensa-t-il, impressionné. Il pourrait passer ici toute la nuit. »

Lui, en revanche, n'avait pas du tout envie de rester là pendant des heures. Hélas, la bibliothèque n'avait pas de porte, juste des étagères, partout, et tellement remplies de livres qu'on ne voyait même pas les murs derrière. Les seuls meubles de la pièce étaient regroupés dans un coin : un bureau en bois avec une lampe, une chaise et un petit escabeau. Au moins, il n'y avait pas de livres sur le bureau…

Tristam s'en approcha. Un classeur posé par terre attira son attention. Dessus, il était écrit : *Dossiers des élèves*. Il s'agenouilla, l'ouvrit et lut l'étiquette collée sur la première pochette.

Nom : Molnsson
Prénom : Jerry

Celui qui les avait dénoncés ! En feuilletant son dossier, Tristam trouva un petit résumé qu'il lut en espérant y trouver des détails dont il pourrait se servir.

Bon élève.
Talents : Communs.
Don particulier : Rigueur militaire.
Poste potentiel : Général des armées du Nord.
Signé : Mlle Peel, colonel Briggs

« Eh bien, je les plains, ceux qui seront sous les ordres de ce prétentieux cafteur ! » songea le garçon. Il mit le dossier de côté et chercha le sien. Il tomba d'abord sur celui de Tom.

Nom : Briggs
Prénom : Tom
Excellent élève.
Talents : Communs.
Don particulier : Compréhension des phénomènes physiques.
Poste potentiel : Direction des opérations spéciales.
Signé : Mlle Peel, colonel Briggs

Tristam jeta un coup d'œil vers Tom, qui venait d'ouvrir un nouveau livre. « Opérations spéciales ! Waouh ! » pensa-t-il, fier de son ami. Puis il continua de fouiller dans le classeur.

Nom : Drake
Prénom : Tristam
Élève catastrophiquement mauvais.
Talents : Aucun révélé à ce jour.
Don particulier : Aucun révélé à ce jour.
Poste potentiel : ∅ (inadéquat).
En cas d'urgence, en parler au colonel.
Signé : Mlle Peel, colonel Briggs

Tristam se sentit suffoquer. Se savoir médiocre est une chose ; le voir écrit noir sur blanc en est une autre. Il avait besoin de sortir de cette pièce encombrée de livres, de respirer de l'air frais. Il remit les dossiers dans le classeur sans en parler à Tom et balaya la pièce du regard. Ses yeux s'arrêtèrent sur l'escabeau.

« Un escabeau dans une pièce aussi basse de plafond ? Bizarre… », pensa-t-il dans un éclair de lucidité. Intrigué, il leva les yeux… Bingo ! Juste au-dessus, il y avait une trappe. « Je ne suis pas si idiot que ça ! » se félicita-t-il en se jetant vers la petite échelle.

Il grimpa trois marches et essaya de pousser la trappe, en vain : elle était bloquée.

– Tom, viens m'aider ! chuchota-t-il à son ami.

Tom ne bougea pas d'un pouce.

– Tom !

Aucune réaction.

– Ho ! Tu m'entends ?

Tom sursauta et ferma le livre qu'il était en train de lire en le faisant claquer, comme pour cacher ce qu'il contenait.

– C'est quoi, ce bouquin ? demanda Tristam.

– C'est pas pour toi, répondit Tom avant de glisser le volume sous sa chemise.

– Ça, je sais, fit Tristam en lui montrant la trappe. Viens m'aider, j'ai peut-être trouvé une sortie.

Tom monta à côté de lui et ils poussèrent ensemble jusqu'à ce que Tristam puisse passer la tête dans l'entrebâillement.

– Il y a un tapis dessus, déclara-t-il en tâtant l'épaisse étoffe qui recouvrait la trappe. Il faut le faire glisser, sinon on n'arrivera jamais à ouvrir.

– Un tapis ? murmura Tom.

– Oui, un tapis rouge, le même que celui de la remise de ton père, derrière la maison.

– Ah bon ?

– Toi qui étais si fier d'en avoir un comme ça… Eh bien, voilà, t'es pas le seul !

– C'est mon père qui m'avait dit qu'il était unique, se défendit Tom. Mais… attends ! Laisse-moi réfléchir. Depuis la bibliothèque, on est allés tout droit. Le nuage était devenu rouge… donc on a dû se diriger vers le soleil couchant, vers l'ouest… Tris, je crois savoir où on est !

– Ah bon ? On est où ?

– Sous la remise de mon père !

– C'est pas vrai !

– C'est logique, en fait, quand tu y réfléchis, vu que mon père est le chef du village. Si on était arrivés chez le boulanger, là, cela aurait été bizarre.

Tom éteignit la lumière. Tristam poussa la trappe aussi haut qu'il put pour que son ami puisse se hisser et faire glisser le tapis. Dès que ce fut fait, il monta lui aussi et s'assit près de Tom, qui souriait jusqu'aux oreilles. Ils étaient bel et bien dans la remise du colonel Briggs ; ils n'auraient pas besoin de retraverser le pont dans le nuage ou d'appeler au

secours. Ils étaient sauvés ! La joie de Tristam était cependant un peu ternie par ce qu'il avait lu dans son dossier…

Le cabanon était plongé dans la pénombre. Les derniers
rayons du soleil passaient à travers les petites fentes de la
cloison et illuminaient les grains de poussière qui flottaient
dans l'air.

— Le soleil n'est pas encore couché ! s'exclama Tristam en
replaçant le tapis sur la trappe. Viens, on va le regarder !

Tom s'approcha de la porte et l'entrouvrit.

— Ton père est là ? demanda Tristam.

— Attends, je regarde.

— Et Myrtille ?

— Elle, ça m'étonnerait. Elle passe ses soirées à préparer
l'anniversaire du village.

— Mais c'est dans plus d'un mois !

— Je sais. Elle peint un banc ; elle a commencé la semaine dernière. C'est ridicule ! Elle doit déjà en être à sa quinzième couche. Elle en profite pour éviter la corvée de vaisselle. Mes parents sont tombés dans le panneau, et c'est moi qui dois tout faire.

— Et ta mère ? Elle est là ?

— Même si elle nous voit, elle ne dira rien.

Tom se retourna et fixa le sol en secouant la tête.

— Dire que je me suis caché ici tellement de fois quand j'étais petit ! Je n'aurais jamais imaginé qu'il y avait une trappe sous le tapis. Et encore moins qu'elle dissimulait de tels trésors !

— Quels trésors ? voulut savoir Tristam, surpris.

Tom ne répondit pas, mais il serra bien fort le livre caché sous sa chemise.

Dehors, les derniers rayons de soleil illuminaient les murs de la maison des Briggs. Les deux grandes portes-fenêtres du bureau du colonel ressemblaient à une paire d'yeux géants. Comme toutes les habitations du Blueberry, celle de Tom avait son éolienne sur le toit, bruyante et bien visible, qui fournissait l'électricité à la famille. Avec ses pales tournant au-dessus des murs embrasés par le soleil couchant, la maison ressemblait à une tête de clown rouge enfouie dans le nuage jusqu'au nez.

Les deux amis aperçurent les épaules carrées du père de Tom qui dépassaient de son fauteuil. Le colonel Briggs travaillait, comme à son habitude, en tournant le dos au soleil.

— On ne peut pas traverser le jardin, il pourrait nous voir ! chuchota Tristam.

Tom acquiesça.

— Alors, on n'a qu'à se glisser derrière la remise et regarder le soleil se coucher, poursuivit Tristam.

Les deux amis sortirent doucement et contournèrent la cabane.

Devant eux, le soleil illuminait l'océan de ses derniers rayons. Le ciel était énorme et magnifique, teinté d'orange et de rouge près de l'horizon, et bleu sombre au zénith. Derrière, de l'autre côté du village, l'éclat scintillant de quelques étoiles perçait le ciel, qui ne tarderait pas à devenir noir comme l'espace.

Pourquoi le ciel est-il bleu le jour?

L'atmosphère de la Terre n'est pas le vide de l'espace. Elle est remplie de gaz et de particules minuscules qu'on appelle molécules d'air: ●●.

La plupart des molécules d'air sont invisibles à l'œil nu, mais certaines couleurs provenant du Soleil peuvent les détecter.

lumière rouge

Pour ces couleurs-là, la traversée de l'atmosphère de la Terre est difficile: chaque fois qu'une molécule d'air est sur leur chemin, elles sont déviées dans toutes les directions: vers le haut, vers le bas, à gauche ou à droite, tant et si bien qu'à force de rebondir, elles se séparent des autres couleurs et remplissent tout le ciel. On dit qu'elles sont diffusées.

molécule d'air

Plus la longueur d'onde d'une couleur est petite, plus la traversée de l'atmosphère est difficile. Les couleurs les plus gênées sont le violet et le bleu, et comme le violet est plus petit que le bleu, il devrait remplir le ciel plus que le bleu. On devrait donc voir le ciel violet.

Voici les raisons pour lesquelles on ne voit pas le ciel violet:

lumière bleue

- le Soleil émet moins de violet que de bleu;

lumière bleue diffusée

- de toutes les couleurs émises par le Soleil, c'est le jaune qui est le plus puissant;
- notre œil est très sensible au jaune;
- quand jaune et violet se superposent, cela donne du bleu.

Sans que nous ne nous en rendions compte, notre œil additionne le jaune au violet et le transforme en bleu dans notre rétine.

Au final, ce bleu créé par notre œil s'ajoute au bleu qui provient directement du Soleil et donne au ciel sa jolie couleur azur.

Vu depuis la surface de la Terre, si le Soleil est jaune, et non pas blanc comme dans l'espace, c'est parce que l'atmosphère a pris le bleu pour colorer le ciel. Quand on enlève du bleu au blanc, cela donne du jaune.

Mais attention! Il ne faut jamais regarder le Soleil sans protections appropriées: sa lumière est tellement puissante qu'elle peut rendre aveugle.

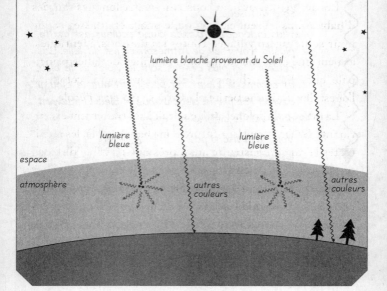

lumière blanche provenant du Soleil

lumière bleue

lumière bleue

espace

atmosphère

autres couleurs

autres couleurs

Chapitre 6

Le village du Blueberry avait été bâti en urgence, et cela se ressentait dans la simplicité de ses maisons. Lorsque le nuage de voyage qui transportait Myrtille et les exilés du Nord s'était immobilisé au-dessus du volcan, en plein milieu de l'océan, les nuagiers du colonel avaient dû faire vite.

Les architectes avaient construit quatre longues rangées d'habitations au seul endroit où le nuage était assez solide pour soutenir un village. Toutes les maisons, identiques, avaient une éolienne sur le toit. Au milieu de l'allée principale, qui reliait les champs, à l'est, à la maison du colonel, à l'ouest, il y avait une petite place, où se trouvait l'école.

La maison du colonel avait eu droit à un traitement exceptionnel. Sachant que leur future reine habiterait là, les architectes l'avaient construite aussi près que possible du bord du nuage, pour qu'elle puisse regarder le soleil se coucher depuis sa chambre. Ils avaient même prévu un petit jardin, entre la maison et la barrière de sécurité qui protégeait les villageois de chutes accidentelles. En grandissant, Myrtille y avait planté des fleurs et des arbustes, dont elle s'occupait tous les jours. C'est dans ce petit jardin que se trouvait la remise du colonel.

Les villageois avaient interdit, « pour des raisons évidentes de sécurité », que les enfants du Blueberry jouent à l'extérieur du village. Du coup, les petits ne voyaient presque jamais le soleil se coucher. Mais la plupart d'entre eux ne s'en plaignaient pas : ils préféraient faire les fous sur la place. Tristam, lui, n'était pas comme eux ; il allait parfois se cacher dans les champs, entre les épis de riz, pour regarder l'océan briller d'orange et d'or en reflétant les derniers rayons du jour.

Mais le jardin de Myrtille était vraiment au bord du nuage, c'était beaucoup mieux. Quelques mètres seulement séparaient la remise de la clôture de sécurité. Au-delà, le nuage se dissipait, laissant la place au ciel et à l'océan.

Assis au milieu des plantes, Tristam et Tom regardèrent, immobiles, le soleil disparaître dans l'océan. L'horizon était maintenant illuminé de jaune, d'orange et de rouge, et le crépuscule se fondait dans la nuit.

Une cloche sonna chez les Briggs. Elle annonçait le dîner.

– Je dois partir, chuchota Tom en se levant.

Un petit livre tomba de sa poche. Il se jeta dessus en craignant que ce ne soit celui qu'il avait emporté de la bibliothèque secrète.

– C'est le tien ! s'exclama-t-il, rassuré. Celui qui explique pourquoi le soleil est blanc, vu de l'espace, et comment le ciel devient bleu. Je l'avais complètement oublié.

– Moi aussi, fit Tristam en prenant la brochure. Mais ça ne sert à rien, je n'y arriverai jamais.

– Tu sais déjà à quelle hauteur on est, non ?

– Ça, je ne risque pas de l'oublier : deux mille mètres !

– Tu vois ! Et tu sais même pourquoi : parce qu'il faut qu'il fasse suffisamment froid pour que la vapeur d'eau venant de l'océan se transforme en gouttelettes. C'est la réponse à la deuxième question du contrôle. M. Azul n'aura jamais corrigé les copies pour demain, tu as un peu de temps. Si tu as du mal avec les autres questions, je t'aiderai.

– Merci ! répondit Tristam.

Tom se retourna pour partir.

– Tu crois que je peux rester ici encore un peu ? demanda Tristam.

– Bien sûr. Nous, on va passer à table, personne ne te verra.

– Bon appétit !

– Merci.

– Salut.

– Salut.

Une fois seul, Tristam regarda les étoiles apparaître au-dessus de lui. Il éprouvait une sensation étrange : quelque chose trottait dans sa tête, quelque chose de désagréable, mais il ne savait pas ce que c'était.

Peut-être était-ce lié à la peur qu'il avait éprouvée sur le pont suspendu ? Non, c'était autre chose. Il repensa aux remarques inscrites sur son dossier, mais ce n'était pas cela non plus.

Soudain, la vision qu'il avait eue pendant le contrôle lui revint en mémoire. Voilà ! C'était elle qui le tourmentait : elle avait semblé tellement réelle… Un mauvais pressentiment l'envahit. « Pourquoi est-ce que je n'ai pas vu le Blueberry au-dessus du volcan ? songea-t-il. Peut-être que je me suis trompé d'île, peut-être que j'ai vu un autre volcan ? »

Il serra les paupières et essaya de se concentrer à nouveau, espérant faire revenir sa vision. Mais il ne vit rien du tout. Que du noir.

Il rouvrit les yeux et fixa la barrière de sécurité. Un irrésistible besoin de vérifier s'empara de lui. Il fallait qu'il compare le volcan de sa vision à la réalité.

Il avança sur la pointe des pieds et scruta le sol au-delà de la clôture. Ici, le nuage n'était plus ni rose ni rouge, mais gris sombre. Çà et là, à travers de petits trous, on apercevait l'océan en contrebas, plus foncé encore ; mais pas l'île.

Et s'il sautait par-dessus la barrière électrifiée, en faisant attention à ne pas la toucher ? Ensuite, il n'aurait qu'à ramper

avec précaution jusqu'à l'un de ces endroits où le nuage était transparent et, de là, regarder en bas. Cela ne lui prendrait qu'une minute.

Tristam s'approcha de la clôture et tira sur sa manche pour se protéger la main. Il allait la poser sur la barrière...

— Qu'est-ce que tu fais ? Tu es fou ! cria une voix de fille. Le nuage n'est pas solide de l'autre côté. Et, en plus, tu piétines mes fleurs !

C'était Myrtille. Elle l'avait vu depuis sa chambre à l'étage et lui parlait, penchée à sa fenêtre. Tristam devint tout rouge et se sauva en courant.

— Tristam ! Attends ! cria Myrtille.

Mais il ne s'arrêta pas.

Pourquoi le ciel est-il rouge le soir?

Lors d'un jour sans nuages, la lumière du Soleil doit traverser une couche d'atmosphère épaisse de quelques dizaines de kilomètres pour arriver jusqu'au sol.

Pour le bleu et le violet, cette couche est pleine d'obstacles: les molécules d'air. En revanche, pour le rouge et l'orange, ces molécules d'air ne sont pas un problème: ils ne les voient même pas et continuent tout droit, comme s'ils étaient encore dans l'espace. Ces couleurs-là viennent frapper et réchauffer le sol sans qu'on les voie individuellement.

Le soir, tout change, car le Soleil est près de l'horizon. Sa lumière doit alors traverser une couche d'air bien plus épaisse avant d'arriver jusqu'à nos yeux. Le bleu et le violet, qui voient des obstacles partout, n'arrivent pas à faire cette longue traversée. Ils s'éteignent.

Ne restent alors que les couleurs qui continuent tout droit, sans se soucier des molécules d'air: ce sont le rouge, l'orange, le pourpre. On les voit le soir, lorsqu'elles rebondissent sur les nuages et la vapeur d'eau du ciel, ou lorsqu'elles traversent toute notre atmosphère et un petit bout d'espace pour aller se poser sur la Lune. Ce sont ces couleurs provenant du Soleil et qui sont passées par l'atmosphère de la Terre qui donnent à la Lune sa teinte orangée, quand elle est près de l'horizon.

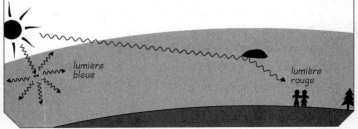

lumière bleue

lumière rouge

Chapitre 7

La place du Blueberry était quasiment déserte à cette heure du soir. Tristam s'apprêtait à la traverser quand quelqu'un l'interpella.

– Qu'est-ce que tu fiches ici ? Hé ! Péquenot ! Je te parle ! M. Azul ne t'a donc pas trouvé à la bibliothèque ?

C'était Jerry, le fils du nuagier en chef, celui qui crânait à la sortie du contrôle, celui dont il avait lu la fiche : futur général des armées du Nord. Comme Tristam vivait avec sa mère à l'extérieur du village, au milieu des champs, Jerry l'appelait toujours « péquenot », ou « paysan ».

Henry, le fils du professeur de français, se tenait à côté de lui et regardait Tristam de ses petits yeux de fouine.

– Sale cafteur ! grogna Tristam en s'arrêtant devant Jerry qui lui barrait le chemin.

– On peut savoir ce que tu faisais à la bibliothèque ?

– Ça ne te regarde pas !

– À cause de ton absence, M. Azul était furieux pendant l'étude, intervint Henry. Du coup, on n'a rien appris. Alors, ça nous regarde.

— Tu nous as fait perdre une heure de cours, enchaîna Jerry. C'est inacceptable !

Jerry attendait avec impatience le jour où il serait général. Le problème, c'était qu'il s'y croyait déjà… Il fallait toujours qu'il prouve son autorité. Il ne considérait pas Henry comme son ami d'ailleurs, mais comme son aide de camp.

Un petit air frais s'engouffra sous les vêtements mouillés de Tristam. Il frissonna.

— Hé, tu es mort de trouille ou quoi, paysan ? lança Jerry, qui pensait que Tristam tremblait de peur.

— Barrez-vous ! hurla Tristam, les joues rouges de rage.

— Ne parle pas trop fort, tu vas déranger les gens ! Mon rôle est aussi de les protéger contre les nuisances sonores, déclara Jerry en bombant le torse.

— Tu n'as qu'à commencer par me protéger moi en te taisant ! rigola Tristam.

— Dois-je te rappeler que ta mère ne vient pas du Nord, répondit Jerry. Tu es un ennemi. Je ne protège pas les ennemis.

Tristam recula d'un pas.

— On ne peut pas laisser un péquenot ignare comme toi saboter notre éducation, reprit l'autre.

— Je ne sabote rien, murmura Tristam, qui se sentait soudain sans forces. Je fais ce que je peux.

— On saura très vite ce que ça donne ! railla le futur général. M. Azul corrige ta copie ce soir. Si tu as encore rendu une feuille blanche, il va te renvoyer chez les petits dès demain. Comme ça, tu ne nous gêneras plus.

Sur ce, il fit un geste de salut militaire et partit avec son aide de camp faire le tour de la place pour vérifier si tout était bien calme dans le village.

« Je me fiche de ce qu'ils racontent, pensa Tristam en marchant tout seul vers sa maison. Ils ne me font pas peur ! »

Mais il n'y croyait plus. Même le livre de Tom ne pourrait plus l'aider maintenant. Il traversa la place en traînant les pieds et continua jusqu'à la lisière des champs de riz. Il s'arrêta devant le petit chemin qui menait à l'usine à vent. Sa maison était là, à une centaine de mètres devant lui.

Il sortit des limites du village. Ses pieds s'enfonçaient dans le sol spongieux, mais il y était habitué. Arrivé devant sa porte, il n'entra pas. Il était triste et n'avait pas envie d'annoncer à sa mère qu'il changerait de classe le lendemain. Malgré la fraîcheur du soir, il quitta le chemin et marcha à travers les champs vers le sud, jusqu'à la clôture de sécurité. Ici, personne ne viendrait le déranger. Il s'allongea pour regarder le ciel étoilé et la lune et chercha un réconfort dans les histoires que lui racontait sa mère quand il était enfant.

C'étaient des histoires de héros vivant sur d'autres nuages, des histoires de rois et de couchers de soleil qui embrasaient des villes immenses, construites sur des cumulus gigantesques loin, très loin, de l'autre côté de l'océan. Sa mère lui parlait de courage et d'audace, en disant que c'était ce qui faisait avancer le monde. Tristam avait grandi bercé par les mots évoquant ces contrées inconnues. La vie semblait tellement plus belle là-bas !

« Pourquoi on ne peut pas retourner là d'où tu viens ? demandait-il à sa mère.

— Parce que le Tyran nous recherche, répondait-elle toujours.

— Et pourquoi le Tyran nous recherche ?

— Tu le comprendras un jour tout seul, mon chéri. »

« Maudit Tyran ! » pensa Tristam en se relevant. Il regarda la barrière de sécurité, et dans un brusque mouvement de colère frappa la clôture du plat de la main. Un puissant flash de lumière explosa dans sa tête ; ses muscles se raidirent et le propulsèrent en arrière. Il s'écroula plusieurs mètres plus loin, au milieu des tiges de riz. Dans sa colère, il avait oublié que la barrière de sécurité était électrifiée.

— Ahhhhhh ! hurla-t-il de rage en se relevant, la main douloureuse. Quel idiot…

Il était frigorifié et avait l'impression d'avoir été roué de coups. Il fallait qu'il rentre chez lui. Mais il se sentait soudain tellement faible… La lune était montée haut dans le ciel ; il avait dû rester allongé à rêver très longtemps.

Il se ressaisit et, pas à pas, se dirigea vers sa maison en tremblant.

Chapitre 8

Après avoir laissé Tristam en bas de chez lui, Tom était monté dans sa chambre et avait enfilé des vêtements secs. La cloche du dîner avait sonné une deuxième fois : il fallait qu'il aille mettre la table. Seulement, là, devant lui, il y avait le livre qu'il avait pris dans la bibliothèque secrète. Tout en s'habillant, Tom ne le quittait pas des yeux.

Une fois prêt, au lieu de descendre aider ses parents, il l'attrapa et sauta sur son lit. Il avait envie de chanter, de crier de joie... Mais cela aurait attiré l'attention. Il se contenta de lire la couverture en souriant :

L'*Art Subtil de la Guerre des Nuages*, par Yann Sunburn, Maître des Vents.

« Cool ! »

Sur la reliure, on avait écrit à l'encre rouge : « Livre militaire niveau V – Strictement interdit. Retiré du circuit par ordre du roi. »

En quatrième de couverture, Tom trouva quelques appréciations qui dataient d'avant l'interdiction :

« Un livre passionnant, à la fois poétique et touchant. » Signé : Lord Désables, général des forces internuages de la République du Sirocco.

« Une grande réussite. Maître Sunburn, vous êtes un magicien. » Signé : *La Gazette du Cumulus Armé*.

Suivait un petit texte de présentation. Tom se mit à le lire et oublia tout ce qui l'entourait.

La Terre est appelée la Planète Bleue. Pourtant, soixante-dix pour cent de sa surface sont recouverts de nuages.

Les nuages sont composés de vapeur d'eau provenant des océans, de l'humidité du sol, des rivières et des fleuves. Entraînés par les vents, ils transportent d'énormes quantités de chaleur depuis les endroits chauds vers les endroits plus froids et, par les précipitations, ils redistribuent l'eau tout autour de la planète.

Les nuages de l'atmosphère sont indispensables à la vie sur Terre. Mais, par leur puissance extraordinaire, ils peuvent se transformer en armes dévastatrices.

Ceux qui comprennent les nuages maîtrisent l'air et les ressources en eau. Ceux qui détiennent un tel savoir sont appelés Maîtres des Eaux.

Mais ils ne sont rien face à ceux qui maîtrisent la force de frappe des nuages et que nous appelons les Maîtres des Vents.

Ce livre vous donnera les connaissances de base pour devenir Maître des Vents.

Pris de frissons, Tom se laissa tomber sur son matelas. « Maître des Vents… murmura-t-il, ivre à l'idée d'un futur glorieux. Ce n'est pas un hasard si j'ai trouvé ce livre ! »

Appuyé contre son oreiller, le cœur battant, Tom l'ouvrit et lut la préface, écrite par Yann Sunburn lui-même.

Préface

La première connaissance à assimiler pour devenir Maître des Vents est la suivante, fondamentale entre toutes : 99,9 % de l'énergie de la planète Terre provient du Soleil.

Tom s'imagina la Terre dans l'espace : une boule bleue et solitaire, enveloppée de nuages, inondée de chaleur et de radiations solaires. La voix de sa mère l'arracha soudain à ses pensées :

– Myrtille ! Tom ! Vous êtes là ? À table !

Faisant mine de ne pas entendre, Tom gagna cinq minutes de lecture supplémentaires.

Les 0,1 % d'énergie restants proviennent presque entièrement de la Terre elle-même. Cette énergie est libérée par exemple lors des éruptions volcaniques.

Notre atmosphère n'a pas toujours été celle que nous connaissons. Depuis qu'elle existe, elle réagit et s'adapte aux fluctuations de ces deux principales sources d'énergie.

Elle a atteint un équilibre qui rend la vie sur Terre possible : l'air y est respirable et la température moyenne à sa surface est de 15 °C.

Cet équilibre global entre le Soleil et la Terre qui s'est établi dans notre atmosphère s'appelle le climat planétaire. Il est à l'origine de la diversité des climats locaux qui, eux, varient beaucoup d'un endroit à un autre du globe.

En termes de puissance énergétique, la contribution de nous autres les humains n'est rien à côté de la puissance du Soleil ou de la Terre elle-même. Néanmoins, avec le peu dont nous sommes capables, nous avons le pouvoir de rompre et de transformer cet équilibre qui a mis des milliards d'années à s'établir. Nous avons le pouvoir de changer le climat de la Terre.

Il est intéressant de savoir que, si nous le faisons avec intelligence, ce changement peut mener à la maîtrise du climat. Celui qui y parviendra le premier possédera la plus puissante des armes de guerre jamais inventée par l'homme.

Un Maître des Vents digne de ce titre sait comment atteindre ce but.

Yann Sunburn, Maître des Vents

Le cœur de Tom battait à toute allure. Mais la voix de son père le ramena à la réalité :

— Tom ! Je sais que tu es là. Descends ! Le dîner est prêt.

— J'arrive !

L'esprit enfiévré par ce qu'il venait de lire, Tom sauta au bas de son lit et se précipita au rez-de-chaussée. Là, il se rappela soudain qui étaient les invités. Il les avait complètement oubliés !

M. Boicard, M. Azul et Mlle Peel étaient déjà là, assis dans la salle à manger. Tom prit place près de Myrtille sans un mot.

— Tu pourrais dire bonsoir, fit sa mère.

— Bonsoir, fit Tom.

— Bonsoir, Tom, répondirent ses professeurs et Mlle Peel.

— Commencez tant que c'est chaud ! dit Mme Briggs.

Le père de Tom ne semblait pas être de bonne humeur. Tom n'osait pas lever les yeux : il s'attendait à être puni pour avoir manqué l'étude.

La tablée resta silencieuse quelques instants. Le colonel, qui ne touchait pas à son assiette, finit par prendre la parole. Tom baissa la tête et ferma les yeux.

– Si je vous ai conviés à dîner ce soir, fit son père en regardant ses invités, c'est parce que nous avons reçu des nouvelles de notre roi.

Il se tourna vers Myrtille et Tom.

– Myrtille, nous parlerons ensemble du message de votre père après le dîner. Maintenant, j'aimerais que Tom et vous écoutiez bien attentivement ce que nous allons dire, car la situation du monde a changé.

Myrtille et Tom levèrent la tête.

– Nous attendions des nouvelles du roi depuis longtemps, trop longtemps, mais les oiseaux migrateurs ne se montraient pas. Ils sont finalement arrivés ce matin, avec plus de deux mois de retard. M. Azul, pouvez-vous expliquer ce que ce retard signifie ?

Le professeur s'éclaircit la gorge et s'essuya les lèvres avec sa serviette.

– Beaucoup de facteurs sont à prendre en compte pour bien comprendre la migration des oiseaux, commença-t-il. En hiver, plus on s'éloigne de l'équateur, plus les jours raccourcissent, alors les oiseaux préfèrent retourner au chaud, vers la lumière et l'énergie, donc…

– Venez-en au fait, monsieur Azul, l'interrompit le colonel.

– Bien, mon colonel. Le retard des migrations signifie que les saisons ont changé. Le redoux du printemps arrive plus tôt, et l'hiver commence plus tard et dure moins longtemps, mais il peut être très violent.

Le professeur toussota de nouveau et regarda Myrtille d'un air gêné.

— En conséquence, continua-t-il, nous ne recevrons probablement plus de nouvelles de l'extérieur. Les routes migratoires ont été déviées par les agissements du Tyran. Les oiseaux ne passeront plus par ici.

— Merci, monsieur Azul, fit le colonel. Monsieur Boicard, à vous, maintenant. Avez-vous constaté des changements dans l'air ?

Chapitre 9

Myrtille et Tom, qui écoutaient sans rien dire, tournèrent leurs regards vers M. Boicard.

– Des changements dans l'air ? Pas vraiment, mon colonel, répondit celui-ci. J'ai effectivement aperçu quelques nuages blancs inquiétants en provenance de l'est, mais je suis le seul à les avoir vus. Et vous savez aussi bien que moi qu'en météo un seul témoignage ne vaut rien. Si nous étions deux, ce serait différent. Donc, pour l'instant, il est difficile de se prononcer.

– Vous ne voyez pas pourquoi les oiseaux ne voyageront plus par ici ?

– Si, colonel, ça, je le vois. Il y a eu un changement dans la composition de notre atmosphère.

– Pouvez-vous être plus précis ?

– Malheureusement, non, mon colonel, pas encore. Mais c'est probablement lié à l'effet de serre.

– Merci, monsieur Boicard. Mademoiselle Peel, désirez-vous ajouter quelque chose ?

– Mon colonel, répondit la principale, nous ne sommes plus en sécurité sur le Blueberry.

— C'est exact, confirma le colonel en se tournant vers sa femme qui, assise à côté de Myrtille à l'autre bout de la table, s'était mise à trembler.

— Êtes-vous obligés de discuter de tout cela à table, devant les enfants ? demanda-t-elle.

— Myrtille et Tom ne sont plus des enfants, rétorqua le colonel. Le jour que nous craignions depuis que le Blueberry a été bâti est arrivé. En effet, nous ne sommes plus en sécurité. De plus, les oiseaux migrateurs ne passeront plus par ici, nous sommes coupés du monde. Nous devrons rester sur le Blueberry pour toujours.

— Douze ans d'exil pour ne plus partir finalement…, murmura Mlle Peel.

Les deux professeurs la regardèrent d'un air triste et baissèrent la tête.

Un moment de silence s'ensuivit. La gorge sèche, Myrtille leva les yeux vers le colonel.

— Qu'y avait-il dans le message de mon père ?

— Je vous le dirai après le dîner, répondit-il.

Myrtille voyait bien qu'il n'était pas à l'aise, tout comme ses invités. Ils évitaient son regard, l'air de vouloir lui cacher quelque chose.

— Je vous en prie…, murmura-t-elle en s'adressant à celui qui l'avait élevée. Dites-moi… Il lui est arrivé quelque chose ? Est-il…

Myrtille n'arriva pas à terminer sa phrase. Un silence lourd et tendu s'abattit sur la tablée. Plus personne ne mangeait. Toutes les têtes se tournèrent vers le colonel, qui soupira.

— Votre père nous annonce que le Tyran dispose d'une arme terrible, répondit-il après un moment. Le roi pense qu'il n'est plus possible de le battre. Il abandonne l'idée de la reconquête du royaume du Nord.

— Alors, mon père va venir ici, il va nous rejoindre ? s'exclama Myrtille en sautant sur ses pieds, pleine d'espoir.

— Non, Myrtille. Votre père est blessé. Il est tombé d'un nuage et s'est échoué à la surface de la Terre. Je suis désolé.

— Oh non ! gémit Myrtille en plaquant la main sur sa bouche.

La princesse vacilla ; les larmes se mirent à couler le long de ses joues. Elle s'affaissa sur sa chaise. Les invités, aussi choqués qu'elle, n'osaient dire un mot.

— Il va mourir ? demanda-t-elle en sanglotant.

— Nous ne savons pas, répondit le colonel, et nous ne pouvons pas nous renseigner. Nous n'avons plus aucun contact avec l'extérieur.

— Mais il faut qu'on le retrouve ! s'écria Myrtille. Il faut qu'on le soigne !

Le colonel ne répondit pas. La jeune fille savait aussi bien que les autres qu'ils étaient coincés sur le Blueberry. Les nuagiers n'étaient pas parvenus à réparer le moteur de leur nuage de voyage. « Les pièces maîtresses sont tombées dans l'océan, avaient-ils dit, et nous n'en avons pas de rechange. »

Mme Briggs pleurait doucement ; les professeurs respiraient avec difficulté. La souffrance de la princesse les touchait droit au cœur. Cela faisait douze années qu'ils vivaient en exil pour Myrtille, pour leur roi. Douze années qu'ils espéraient rentrer chez eux, vers les Nuages du Nord. Leur rêve venait de s'effondrer.

Tom finit par briser le silence. Il murmura :

– Comment va-t-on se défendre contre les troupes du Tyran, s'il nous retrouve ?

– Nous en reparlerons, Tom, fit le colonel.

– Il faut retrouver mon père, il faut le soigner ! répéta Myrtille. Il a besoin de moi ! On ne…

Mme Briggs se leva et la prit dans ses bras.

Quelques instants plus tard, le colonel tendit à la jeune fille une petite lettre manuscrite sur laquelle était inscrit son nom. La lettre portait le sceau royal des Nuages du Nord ; l'écriture était celle de son père. C'était la neuvième lettre qu'elle recevait de lui. Myrtille prit la missive et sortit de la salle en courant.

Les yeux pleins de larmes, Mme Briggs fit mine de suivre sa protégée. Mais la princesse quitta la maison en claquant la porte derrière elle.

– Allons dans mon bureau, proposa le père de Tom à ses invités. Myrtille reviendra tout à l'heure, et nous lui parlerons.

Les deux enseignants et la principale lui emboîtèrent le pas.

Tom se retrouva seul à la grande table, devant les plats auxquels personne n'avait touché.

Il se mit à débarrasser en pensant que Myrtille devait être très triste… Mais il la connaissait et savait qu'il valait mieux ne pas la déranger pendant la lecture de sa lettre. Il lui parlerait plus tard, lui aussi. En attendant, il fallait qu'il lise son livre, qu'il devienne fort, qu'il apprenne à se battre pour devenir un chef puissant. Que le roi du Nord abandonne ses projets ou non, cela ne changeait rien à son avenir à lui, c'était décidé !

— Laisse, lui dit sa mère en revenant dans la salle à manger, je m'en occupe. Tu peux monter dans ta chambre.

Tom se blottit dans ses bras.

— Tu seras gentil avec Myrtille, lui dit-elle en l'embrassant, d'accord ? Tu me le promets ?

— Oui, maman, je te le promets.

Quelques minutes plus tard, il regarda vers la place du village depuis la fenêtre de sa chambre. Myrtille était là, assise sur son banc. Il dévala l'escalier pour aller lui tenir compagnie.

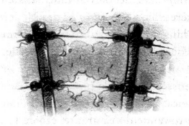

Chapitre 10

Bien avant que Myrtille soit en âge de comprendre, les habitants du Blueberry lui répétaient tous les jours qu'elle était une princesse. Ils lui expliquaient qu'une fois reine, elle aurait un pays à diriger : ses responsabilités seraient immenses malgré la petite taille des territoires des Nuages du Nord.

Puis Myrtille avait grandi, et elle avait fini par réaliser ce que les villageois attendaient d'elle : qu'elle les venge du Tyran. Elle avait alors sept ans. Depuis, elle ne voulait plus devenir reine.

L'idée même que son royaume doive un jour être reconquis lui était devenue douloureuse, et elle souffrait d'être responsable du malheur de gens qu'elle ne connaissait même pas. Elle ne voulait pas prendre part à des guerres ; mais elle savait qu'elle n'avait pas le choix. Myrtille aurait aimé expliquer qu'elle rêvait d'être comme les autres, mais à qui aurait-elle pu le dire ? Le village entier avait été créé pour elle !

Il y avait là des nuagiers, des boulangers, des agriculteurs, des architectes, des professeurs. Tous avaient choisi l'exil pour la protéger, l'éduquer ; ils vivaient à l'écart du monde à cause d'elle. Même au colonel, qui l'avait élevée et aimée comme un père, elle ne pouvait évidemment rien dire : il avait pour mission de prendre soin d'elle et de la préparer à jouer son rôle de reine.

Les camarades de Myrtille la voyaient comme leur future souveraine, et non comme une amie. Myrtille se doutait bien qu'elles étaient jalouses ; mais comment les convaincre qu'elle ne voulait pas de ce royaume virtuel ?

Et voilà que tout cela venait de changer. Les habitants du Blueberry sauraient bientôt qu'il n'y aurait pas de retour aux Nuages du Nord, que Myrtille ne serait pas reine. Pourtant, la princesse n'était pas soulagée. Ce que son père lui avait écrit résonnait dans sa tête.

Il ne lui donnait pas de nouvelles de sa santé ; il ne lui demandait pas si elle allait bien, ne lui adressait aucun mot gentil. Il lui ordonnait juste de fuir et d'obéir.

« Une fois que le Tyran t'aura retrouvée, ma fille, il te tuera. Je veux que tu fuies, coûte que coûte. Le colonel Briggs est au courant. Il t'aidera. Obéis-lui comme tu m'aurais obéi. »

Assise sur le banc qu'elle avait peint pour la fête du village, Myrtille pensa à la moto des airs, celle avec laquelle la mère de Tristam s'était échouée sur le Blueberry. Le colonel la lui avait montrée : elle avait pu être réparée et marchait parfaitement. Son protecteur l'avait cachée pour permettre à la princesse de fuir en cas d'urgence, et il lui avait appris à la piloter.

Myrtille se demanda si, grâce à cet engin volant, elle réussirait à retrouver son père, mais elle rejeta cette idée. On lui avait peut-être donné une éducation de reine, mais la jeune fille avait conscience que, comme tous les autres enfants du Blueberry, elle ne connaissait rien au monde.

Quelques villageois sortirent de chez eux, troublant sa solitude. Sans réfléchir, elle se leva et se dirigea vers le bout du village, à l'opposé de sa maison. Elle s'arrêta à la lisière des champs de riz. De là, elle pouvait voir la faible lumière qui brillait par la fenêtre des Drake. Son chatoiement ressemblait à celui d'une étoile qui serait tombée du ciel au milieu des épis teintés d'argent par le clair de lune.

Myrtille se tourna vers le village, hésita un instant, puis, comme attirée par une force, elle s'engagea sur le chemin spongieux. Elle n'avait pas peur : tant qu'elle demeurait dans les limites des clôtures de sécurité, elle ne risquait pas de tomber à travers le nuage. Si elle était inquiète, c'est parce qu'elle savait que ce chemin, elle n'avait pas le droit de l'emprunter.

Pour la première fois de sa vie, Myrtille venait de décider quelque chose elle-même, de faire un choix, au lieu de suivre ceux de son père, du colonel ou des villageois. Et ce choix était d'aller voir de près la maison où vivaient Tristam et sa mère, la femme mystérieuse dont les habitants du Blueberry se méfiaient tant.

Depuis que Mme Drake était arrivée sur leur nuage, seul le colonel lui rendait visite de temps à autre. Cependant, il ne parlait jamais à personne de leurs discussions.

En avançant sur le petit chemin, Myrtille se souvint des rumeurs terribles que les villageois répandaient au sujet de l'étrangère. Elle s'imaginait la mère de Tristam comme quelqu'un de mauvais et monstrueux, le genre de personne qui glacerait le sang du plus courageux rien qu'en le croisant dans l'obscurité du soir.

À mi-chemin de la maison, un souffle de vent fit onduler les épis argentés et effleura la princesse de ses doigts immatériels. Myrtille s'arrêta. « Et si c'était vrai ? pensa-t-elle. Et si Mme Drake était vraiment une sorcière ? »

« Mais non, les gens disent n'importe quoi, se rassura-t-elle aussitôt. Le colonel n'aurait jamais accepté qu'elle reste là si elle représentait un danger pour moi. »

Elle regarda la modeste maison. L'éolienne sur le toit était tellement petite que Myrtille se demanda comment les Drake faisaient pour se chauffer et allumer une lampe en même temps…

Malgré la tristesse qu'elle éprouvait à cause de son père, Myrtille se sentait étrangement bien. Loin des regards, elle était comme libérée d'un poids énorme.

Myrtille s'approcha de la fenêtre des Drake, curieuse de savoir si Tristam était chez lui.

Soudain, un bruit sourd provenant des champs la fit sursauter.

Elle s'arrêta, aux aguets. Puis, doucement, prête à s'enfuir en courant s'il le fallait, elle s'enfonça dans les rizières. À la faveur du clair de lune, elle aperçut, à quelques mètres d'elle, un trou dans la surface mouvante des épis. Elle s'en approcha et trouva, allongé par terre, Tristam qui tremblait de tout son corps et se tenait la main gauche en grimaçant.

Elle se précipita vers lui.

– Tristam ! Qu'est-ce que tu fais là ? Pourquoi tu es trempé ? Pourquoi tu es tout blanc ? Qu'est-ce qui t'arrive ?

– J-je… s-suis gege- gelé, dit-il en claquant des dents.

Myrtille l'aida à se relever.

– Viens, dit-elle, je vais te ramener chez toi.

Que se cache-t-il dans le noir de la nuit, entre les étoiles?

Notre Univers est né il y a environ 13 milliards et 700 millions d'années, lors de ce qu'on appelle le Big Bang. À cette époque-là, ni la Terre, ni le Soleil, ni les étoiles n'existaient.

Juste après le Big Bang, l'Univers était tellement dense et chaud que tout ce qui s'y formait était immédiatement transformé en lumière brûlante, qui ne pouvait pas avancer sans se cogner dans des particules.

Puis l'Univers a grandi et s'est refroidi.

Comme ce qui est froid brille moins que ce qui est chaud, l'Univers est devenu de moins en moins lumineux et, au bout de 300 000 ans, il est devenu transparent. Il rayonnait alors d'une lumière à 2 700 °C.

Aujourd'hui, après plus de 13 milliards d'années de refroidissement, l'Univers est devenu très froid: sa température est de − 270 °C (il a perdu 3 000 degrés en 13 milliards d'années).

La lumière émise par un corps à − 270 °C est invisible à l'œil nu, car notre œil ne perçoit pas le rayonnement qui lui correspond. En revanche, nos télescopes peuvent le faire à notre place. Grâce à eux, nous savons que le noir entre les étoiles n'est pas si noir que cela. Il s'y cache ce qui reste de la lumière des origines, qui brillait à 2 700 °C, 300 000 ans après le Big Bang, lorsque l'Univers est devenu transparent. Cette lumière voyage vers nous depuis ces temps immémoriaux et remplit tout l'espace.

Quand on regarde le noir entre les étoiles, la nuit, on regarde donc les origines de notre Univers, même si on ne s'en rend pas compte.

Chapitre 11

La porte s'ouvrit, et Myrtille se figea, le souffle coupé.

Devant elle se tenait la plus belle femme qu'elle eût jamais vue. Ses traits étaient si fins que l'air lui-même semblait devenir doux en frôlant son visage. Ses cheveux bruns tombaient délicatement sur ses épaules tels des fils de soie ; ses yeux bleus illuminaient son visage de bonté.

– Tristam ! fit-elle en prenant son fils dans ses bras. Tu es trempé !

– Bonsoir, maman, répondit Tristam en frissonnant. Je me suis fait mal à la main.

Mme Drake l'aida à marcher jusqu'à son lit et lui donna des habits secs. Restée sur le seuil, incapable de parler, Myrtille ne savait pas quoi faire.

– Entre, Myrtille, dit la mère de Tristam d'une voix douce et chaleureuse.

La jeune fille entra, ferma la porte et balaya du regard l'intérieur de la petite maison, qui ne comportait qu'une pièce. À gauche, au-dessus du lit où s'était allongé Tristam, une fenêtre donnait sur les lumières du village ; en face, derrière une table et deux chaises, une petite cuisine et un coin d'eau.

La deuxième fenêtre de la maison, à droite, surplombait les champs et le chemin qui continuait vers le centre du nuage, vers l'usine à vent.

Myrtille regarda Mme Drake, qui s'était agenouillée près de son fils et examinait sa main. La pauvreté du décor rendait sa beauté encore plus fascinante. La mère de Tristam dégageait une aura particulière, un charisme qui poussait à vouloir lui faire plaisir, la suivre, lui obéir, immédiatement, sans conditions. Myrtille se demanda en soupirant pourquoi les villageois racontaient ces histoires horribles à son sujet.

Son regard s'arrêta sur Tristam. Il était blanc à faire peur. De la sueur perlait sur son front et il arrivait à peine à ouvrir les yeux. C'est à ce moment qu'elle aperçut la plaie à vif sur sa paume. Elle eut mal rien qu'en la regardant.

– Ce n'est pas grave, commenta Mme Drake, mais il faut soigner ça tout de suite. Myrtille, s'il te plaît, peux-tu faire chauffer de l'eau ?

Myrtille chercha des yeux la bouilloire et en trouva une sur la petite table de la cuisine. Elle se précipita pour la remplir d'eau et la plaça sur le réchaud.

– Là, sur l'étagère, continua la mère de Tristam, il y a un pot rempli de feuilles vert foncé. Peux-tu me le passer ?

Myrtille s'empara du pot et l'apporta à Mme Drake ; puis elle s'agenouilla à côté d'elle. La jeune femme appliqua quelques feuilles sur la plaie, vraiment pas jolie à voir.

« Comment a-t-il pu se faire mal comme ça ? Il n'a pourtant pas touché la barrière en bas de chez moi… » songea Myrtille.

– Sur notre nuage, dit Mme Drake, seule la barrière électrique peut laisser une marque pareille. Il a dû la toucher par mégarde.

« Il a essayé de la franchir ailleurs ! se dit Myrtille. Il va finir par se tuer à faire n'importe quoi ! »

– Tu crois que ce n'était pas un accident ? demanda Mme Drake en la dévisageant.

« Elle peut lire dans mes pensées ! » s'inquiéta la princesse.

– C'était un accident, balbutia Tristam, à moitié conscient, j'ai été bête…

La bouilloire siffla. Mme Drake alla l'ôter du feu.

– À notre altitude, expliqua-t-elle en versant l'eau frémissante dans un mortier, l'eau bout à 95 °C. Si le Blueberry était situé sur un nuage plus élevé, l'eau ne serait pas assez chaude pour qu'on puisse stériliser quoi que ce soit. Myrtille, n'oublie jamais : avant de soigner quelqu'un, il faut toujours stériliser ses instruments.

Tristam entrouvrit les yeux et regarda Myrtille.

– Elle ne lit pas dans tes pensées, murmura-t-il, mais sur ton visage. Elle est très forte pour ça. Et… et… je suis désolé si j'ai abîmé tes fleurs…, ajouta-t-il avant que ses paupières ne se referment.

Mal à l'aise, Myrtille n'osa plus penser à quoi que ce soit et décida de surveiller ses expressions.

– Veux-tu que je t'apprenne à guérir une brûlure ? demanda Mme Drake.

Myrtille fit oui de la tête. La mère de Tristam se dirigea vers un petit placard où s'empilaient des pots remplis de plantes et de fleurs séchées, de graines et de tiges. Elle en prit trois, versa un peu de leur contenu dans le mortier et se mit à mélanger sa mixture avec le pilon.

Un frisson parcourut le corps de Myrtille : un souvenir d'enfance venait de surgir du fond de sa mémoire. Cela remontait à l'époque où le colonel Briggs lui racontait des histoires avant qu'elle ne s'endorme.

Presque tous les soirs, il lui parlait alors des Nuages du Nord. « Il est important que vous connaissiez l'histoire de votre pays, disait-il, car l'essence d'un royaume réside dans son passé, dans sa culture. Il vous faut acquérir cette culture pour comprendre votre peuple et le diriger avec justesse. »

En bon militaire, le colonel lui décrivait les batailles importantes menées par l'armée du roi. Myrtille avait du mal à accepter l'idée que la culture d'un royaume puisse se limiter à des guerres et au passé. Mais elle écoutait quand même, car, après avoir évoqué les combats, le colonel parlait toujours de femmes vêtues de vert et de bleu. Ces femmes, Myrtille les aimait par-dessus tout.

Elles apparaissaient comme par miracle sur des champs de bataille, même les plus reculés, pour soigner les blessés, sans les juger, sans faire de différence entre les vainqueurs et les vaincus. Puis, une fois leur tâche accomplie, elles disparaissaient comme elles étaient venues. Et les blessés se relevaient.

Le colonel décrivait ces femmes mystérieuses avec émotion et respect. Il parlait d'elles comme si elles avaient été des anges tombés du ciel. « Elles apportent de l'humanité aux guerriers. Les animaux aussi se battent entre eux. Mais seul un humain est capable de soigner un ennemi comme il soignerait un ami. »

Agenouillée près de Tristam, Myrtille pensait à ces femmes sans quitter Mme Drake des yeux. La mère de Tristam avait-elle été l'une d'elles ? Était-ce la raison pour laquelle le colonel Briggs la protégeait ?

Mme Drake leva ses yeux bleus vers Myrtille. La femme et la jeune fille se regardèrent en silence. Un petit sourire se dessina sur les lèvres de Mme Drake : sans s'en rendre compte, Myrtille avait posé sa main sur celle de Tristam, qui s'était endormi.

Ensuite, elle montra à la petite princesse le contenu du mortier qu'elle tenait en main.

– J'y ai mis quelques plantes et quelques fleurs de mon pays.

– Vous les avez apportées de là-bas ?

– Non, je les cultive.

– Ici ? Sur le Blueberry ?

– Oui.

– Les plantes peuvent-elles guérir n'importe quelle blessure ? poursuivit Myrtille en pensant à son père.

– Presque tous les remèdes sont préparés à partir des plantes, mais il faut faire attention à ne pas confondre les recettes. Et malheureusement, pour certaines blessures, il n'y a pas de remède. Il existe aussi des maux invisibles, qui s'insinuent peu à peu dans le cœur des gens et les rendent malheureux. Lorsqu'on le remarque, il est généralement trop tard pour les aider.

Les traits de Mme Drake s'assombrirent, comme si un souvenir douloureux avait traversé sa mémoire.

– Tu veux essayer ? proposa-t-elle à Myrtille.

La jeune fille s'empara du mortier et du pilon et se mit à malaxer son contenu. Au bout de quelques minutes, les ingrédients broyés donnèrent une pâte homogène. Myrtille en recueillit une noix avec deux doigts, souleva les feuilles de la plaie de Tristam et étala le remède dessus.

– Tu as déjà soigné un blessé ? voulut savoir Mme Drake.

– Non, pourquoi ? Je l'ai mal fait ? s'alarma la jeune fille.

– Bien au contraire, petite princesse, bien au contraire. Tu as du talent.

– Je veux devenir comme vous, lâcha Myrtille, consciente de l'étrangeté de sa remarque.

À cet instant, Tristam sourit dans son sommeil. Il rêvait.

– Myrtille…, marmonna-t-il. Myrtille…

La princesse rougit violemment et Mme Drake sourit à son tour.

– Il va s'en remettre ? s'enquit Myrtille.

– Il se réveillera en pleine forme demain matin, répondit la mère de Tristam. Et ce sera grâce à toi.

Elle se tut un moment avant de demander :

– Pourquoi es-tu venue ici ce soir ?

– Je…, balbutia Myrtille, je suis… j'aidais Tristam. Je l'ai trouvé dans les…

– Je t'ai vue marcher sur le chemin avant que tu ne le voies, Myrtille. Alors, dis-moi : pourquoi venais-tu par ici ?

– Je… je ne sais pas. Je ne voulais pas vraiment aller jusque chez vous.

La mère de Tristam se leva pour remplir la bouilloire.

– Tu aimes la tisane ?

« Ça y est, se dit Myrtille, soudain nerveuse. Elle va me parler de mon père. »

Chapitre 12

Mme Drake s'assit en face de la princesse. L'odeur sucrée qui s'élevait des tasses chatouillait les narines de Myrtille. Des parfums venus de pays lointains embaumèrent son esprit. L'espace d'un instant, elle qui n'avait jamais quitté le Blueberry se retrouva à voyager en pensée dans des contrées inconnues, à survoler des nuages couleur de feu sur lesquels étaient bâties des villes de cristal.

Une fois revenue à elle, elle se sentit étrangement lucide.

– Tu sais que le Blueberry a été créé pour toi, pour te protéger du Tyran, n'est-ce pas ? commença Mme Drake sans détour.

Même le colonel ne l'avait jamais dit de manière aussi directe ! Myrtille n'était pas sûre d'être prête à entendre ce que Mme Drake avait à dire. Mais, oui, elle savait qu'elle était la raison de l'exil de tant de personnes, peut-être même de celui de Mme Drake aussi. Elle hocha la tête.

– Bien, continua la mère de Tristam. Et sais-tu pourquoi ?

La douceur de sa voix calmait les peurs de Myrtille, qui répondit tout bas, les yeux rivés sur sa tisane :

— À cause de mon père.

— Oui, mais surtout à cause du Tyran, poursuivit la mère de Tristam. Sais-tu pourquoi je peux cultiver mes plantes sur notre nuage ?

Surprise par la question, Myrtille lui jeta un regard interrogateur.

— Les gouttelettes de tous les nuages de la Terre se forment autour de minuscules grains de poussière, de petits noyaux, si tu veux. Certaines de ces poussières sont riches et nourrissent les plantes. Les gouttelettes de notre nuage sont fertiles, c'est pour cela qu'on peut y faire pousser tout ce qu'on veut. Mais il existe aussi des nuages dont les gouttelettes contiennent des noyaux toxiques, qui tuent les plantes, et l'atmosphère. Les magnifiques nuages nacrés qui brillent la nuit dans le royaume de ton père sont de ceux-là. Malgré leur joli nom, ce sont des nuages tueurs.

Myrtille hocha la tête : elle savait cela, on le lui avait appris à l'école. Mme Drake continua d'une voix bienveillante comme si elle voulait adoucir une histoire triste :

— La plupart des nuages nacrés sont naturels, et il y en a toujours eu. Mais déjà longtemps avant que n'éclate la guerre contre le Tyran, ton père avait remarqué que, d'une année sur l'autre, il y en avait toujours plus. Alors, il a demandé à ses experts de les étudier. Bientôt, ils ont découvert que ces nuages se formaient autour de particules toxiques que le souverain des Nuages du Centre, le Tyran, rejetait dans l'atmosphère exprès.

« Juste après ta naissance, ton père a décidé de partir en informer le Haut-Conseil des Nuages, mais il n'est jamais arrivé à destination. Le Tyran avait tout prévu : il a attaqué ton père en chemin et l'a fait enfermer. »

– Je sais…, murmura Myrtille.

– Il a réussi à s'évader, et la guerre a commencé quelques mois plus tard, juste après le départ du colonel, qui t'emmenait au loin. Il n'y a eu qu'une bataille, mais elle a été terrible. Les hommes du Tyran ont massacré l'armée de ton père. C'était il y a douze ans. Le roi et une poignée de ses partisans ont été les seuls à survivre. Depuis, ils se battent dans l'ombre. Ton père a essayé plusieurs fois de lever une nouvelle armée, mais il n'a jamais réussi.

– Pourquoi me racontez-vous tout ça ? demanda Myrtille.

— Parce que la lettre que ton père a envoyée au colonel change beaucoup de choses.

Myrtille écarquilla les yeux : « Elle est au courant ? »

Mme Drake fit oui de la tête.

— Oui, Myrtille, je suis au courant. Et je sais aussi ce que ton père t'a demandé dans la lettre qui t'était destinée.

— Mais… comment le savez-vous ?

— Le colonel m'en a parlé. Le roi a dit au colonel ce qu'il t'avait écrit.

Myrtille sentit ses forces l'abandonner ; elle ne put retenir ses larmes. La mère de Tristam la prit dans ses bras.

— Personne ne choisit ses parents, dit-elle avec douceur. Tu es la fille d'un roi courageux, un roi qui n'a pas hésité à mettre sa vie en danger pour le bien des générations futures. Il a échoué, et c'est pour cela qu'il veut que tu fuies, que tu te protèges.

— Mais je ne veux pas fuir ! s'écria Myrtille. Et je ne veux pas me battre non plus !

— Je sais cela, je le sais depuis longtemps. Myrtille, tu n'es qu'une enfant, et tu ne dois pas désespérer. Quels que soient les choix que les adultes ont faits pour toi, tu n'es pas obligée de les suivre toute ta vie. C'est à toi de savoir qui tu es, à toi de définir ce que veut dire être une princesse, même si tu n'as pas de royaume. Personne ne peut faire cela à ta place. Je t'aiderai si tu le souhaites.

Myrtille, qui n'avait qu'une envie pour l'instant : retrouver son père et l'aider, demanda :

— Vous pouvez m'apprendre à guérir ?

— Oui, je peux t'apprendre cela aussi.

Ce disant, Mme Drake tourna la tête vers la porte d'entrée, comme si elle avait entendu du bruit dehors.

— Quelqu'un que tu connais approche. Sèche vite tes larmes.

— Je…, commença Myrtille.

Elle se tut : on frappait. Mme Drake alla ouvrir.

— Bonsoir, Simon.

— Bonsoir, Kae, répondit le colonel Briggs en se baissant pour entrer. Il faut que nous parlions, c'est urgent. Est-ce que Tristam est là ?

Lorsque, en relevant la tête, il vit Myrtille, il se figea.

— Qu'est-ce que vous fabriquez ici ? s'exclama-t-il.

— Mon fils s'est blessé, répondit Mme Drake avant que la jeune fille n'ouvre la bouche. Elle l'a aidé à rentrer. Je lui ai offert une tisane pour la remercier.

Le colonel Briggs se tourna vers Tristam, qui ronflait, la main enveloppée dans des feuilles cicatrisantes.

— Myrtille…, murmura le colonel, avez-vous lu la lettre de votre père ?

— Oui.

— Voulez-vous que nous en discutions ?

Myrtille fit non de la tête.

— Alors, rentrez à la maison, je vous prie, Mme Briggs se fait du souci pour vous. Nous reverrons le plan d'évacuation ensemble demain, d'accord ?

Myrtille fit oui de la tête et pivota sur ses talons. Ses yeux étaient secs.

— Je t'accompagne jusqu'à la porte, lança Mme Drake alors que le colonel allait voir Tristam.

— Je peux vous poser une question ? lui demanda Myrtille, une fois dehors.

— Je t'écoute, mon enfant.

— Le colonel m'a toujours dit que deux personnes pourraient s'évader du Blueberry sur votre moto des airs, sans préciser qui serait la deuxième. Je sais juste que ce n'est pas lui. Est-ce que c'est vous ?

La mère de Tristam hésita à répondre.

— S'il vous plaît, insista la princesse, dites-le-moi !

— Non, répondit Mme Drake, ce n'est pas moi. C'est Tristam.

— Tristam ? s'exclama Myrtille. Mais pourquoi…

Elle n'eut pas le temps de finir sa phrase : le colonel revenait vers la porte.

Myrtille s'éloigna de la maison, l'esprit embrumé. Elle ne vit pas Tom, qui, caché dans les épis de riz, avait écouté la conversation.

Chapitre 13

Le lendemain, le matin se leva paisiblement sur le Blueberry. Le ciel était d'un bleu limpide ; cependant il y avait quelques signes d'instabilité : de petits filaments de nuages transparents le parsemaient çà et là. Le soleil, qui venait d'atteindre la hauteur du village, faisait briller les pales des éoliennes sur les toits des maisons. Plongé dans ses pensées, M. Azul ne les regardait pas. Il marchait vers l'école d'un pas lent. Les nouvelles du roi lui avaient ôté le sommeil ; du coup, il avait passé la nuit à corriger les copies de ses élèves. À présent, il pensait au futur du Blueberry.

« À part le colonel, il n'y a pas un seul militaire sur le nuage, et nous n'avons pas d'armes, se disait-il. Nous sommes coupés du monde. Nous allons devoir vivre ici jusqu'à la fin des temps en espérant que le Tyran ne nous retrouvera jamais. »

Arrivé sur la place du village, il se dirigea vers les quelques élèves venus en avance qui attendaient l'ouverture de l'école.

« Je dois modifier mon programme. Je vais leur parler du monde, des étoiles, de la nature. Cela leur permettra de voyager, même si ce n'est que dans leur tête. Il faut qu'ils sachent que la Terre est fragile. Si quelques-uns survivent à notre exil, ils pourront un jour transmettre ce savoir à leur tour. »

M. Azul contourna le petit groupe et entra dans l'école en refermant la porte derrière lui. Il avait encore un moment de tranquillité avant le début des cours. Il voulait être seul.

Dans la classe, le soleil illuminait de ses rayons les tables et les dossiers des chaises. Le professeur s'arrêta devant la fenêtre pour regarder les vagues que le vent dessinait sur les champs de riz.

La cloche sonna, et les enfants envahirent l'école. Arrivés au bout du couloir, les grands et les petits se séparèrent, se rendant dans leurs classes respectives.

– Bonjour, tout le monde, fit M. Azul en sortant la pile de copies corrigées de sa mallette.

– Bonjour, monsieur Azul, répondirent les élèves en chœur, debout à côté de leurs chaises.

– Asseyez-vous.

À part Jerry et son aide de camp, personne ne s'attendait que leur professeur corrige le contrôle aussi rapidement. Tout le monde s'assit, les yeux fixés sur la pile de copies posée sur le bureau.

Ceux du premier rang tapaient déjà du pied, impatients de connaître leurs notes. Cet enthousiasme se transformait en angoisse au fur et à mesure que l'on s'approchait du fond de la salle, et en particulier du dernier rang, où Tristam dormait, en général.

Mais Tristam n'était pas encore là : son siège était vide. Tom, installé au premier rang, l'attendait nerveusement.

Il n'arrêtait pas de regarder la porte en espérant voir son ami apparaître. Son esprit était occupé par ce qu'il avait entendu la veille, à la porte de Mme Drake. « Deux personnes peuvent s'évader sur la moto des airs, se répétait-il. Myrtille et Tristam. »

Tom avait pris son petit déjeuner avec Myrtille. Il l'avait observée, tendu : allait-elle lui dire ? Mais elle se taisait. C'est lui qui avait fini par demander : « Tu as fait quoi hier soir ? »

Elle n'avait pas répondu, et Tom s'était mis à craindre le pire : « Ils vont partir sans moi ! »

Alors qu'ils marchaient ensemble vers l'école, il lui jetait des regards inquiets. Il voyait bien que quelque chose en elle avait changé depuis la veille : c'était comme si on lui avait ôté un gros poids qui lui pesait sur le cœur. Il ne lui avait pas posé d'autres questions, mais il avait décidé d'en parler avec Tristam à la première occasion et de ne pas les lâcher tous les deux des yeux.

« Ils ne partiront pas sans moi ! » pensait-il maintenant en regardant la porte et en se demandant ce que pouvait bien faire Tristam.

La classe était silencieuse. Les mains dans le dos, M. Azul allait et venait sur l'estrade. Il s'arrêta à côté de son bureau.

— Avant de vous rendre vos copies, dit-il en posant sa main sur la pile, j'aimerais vous rappeler pourquoi vous êtes dans cette école. Vous êtes ici pour comprendre le monde dans lequel nous vivons. Vous savez, la nature est terriblement puissante et dévastatrice. Les hommes ont toujours essayé de s'en protéger, en construisant des maisons, par exemple.

Mais aujourd'hui, ils ont réussi à rendre la Terre plus dangereuse qu'elle ne l'était ne serait-ce qu'il y a quelques dizaines d'années.

Le professeur se tourna vers ses élèves, qui échangeaient des regards étonnés.

– Voyez-vous, continua-t-il, la Terre n'a pas toujours ressemblé à celle que nous connaissons, et c'est une bonne chose, car cela signifie que notre planète vit. Elle évolue, elle change avec le temps qui passe et réagit à ce qu'on lui fait subir. Est-ce que l'un d'entre vous sait ce qu'est l'effet de serre ?

Jerry leva la main.

– Oui, Molnsson ?

Le garçon allait ouvrir la bouche quand un bruit de pas lourds résonna dans le couloir, puis s'arrêta juste derrière la porte de leur classe. Les têtes pivotèrent dans cette direction. La poignée s'abaissa doucement… Le panneau s'entrouvrit et les élèves virent apparaître les cheveux en bataille de Tristam, qui avait l'air complètement endormi. Tous éclatèrent de rire.

— Désolé, monsieur Boicard, je ne me suis pas réveillé… Mais… vous êtes M. Azul ? Il est quelle heure ? On est déjà l'après-midi ?

— Va à ta place et assieds-toi ! ordonna M. Azul, qui tentait de contenir la colère que Tristam lui inspirait en permanence. Je ne veux pas t'entendre, je ne veux pas savoir que tu es là, compris ?

Chapitre 14

Tristam gagna sa place en faisant un salut discret à Tom. Myrtille lui jeta un coup d'œil et vit que sa paume était guérie. Jerry, assis près de Tom, était furieux : il trouvait inacceptable que Tristam s'en soit tiré à si peu de frais une fois de plus. Cela faisait longtemps qu'il méritait d'être renvoyé cultiver les champs avec sa mère !

— Où en étais-je ? se demanda M. Azul quand le calme fut revenu. Ah oui, la Terre… L'effet de serre…

Le bras tendu vers la fenêtre, il reprit :

— De là où nous sommes, on pourrait s'imaginer que notre atmosphère s'étend à l'infini jusqu'au fin fond de l'Univers. Mais ce n'est pas du tout le cas. Notre atmosphère est incroyablement fine, comparée à la taille de la Terre. Imaginez : presque tout l'air que nous respirons et qui nous protège des rayons du Soleil ainsi que des dangers de l'espace est contenu dans une couche de cinquante kilomètres d'épaisseur. Sans cette couche d'air, nous ne pourrions pas vivre sur notre planète.

M. Azul fit une pause, laissant sa dernière phrase résonner dans la pièce. Il voulait que tout le monde comprenne bien ce qu'il avait à dire. Malgré l'heure matinale, la classe l'écoutait comme on écoute une histoire racontée au coin du feu. Tristam, lui, s'était endormi.

— Huit planètes tournent autour du Soleil, continua M. Azul. Quatre sont énormes et très différentes de la Terre, car elles sont composées de gaz flottant autour d'un noyau solide. Nous les appelons les Géantes. Ce sont Jupiter, Saturne, Uranus et Neptune. Les Géantes sont les planètes les plus lointaines du Système Solaire, mais la nuit, en été, on peut facilement apercevoir les deux plus grosses, Jupiter et Saturne, qui reflètent la lumière du Soleil et brillent plus que des étoiles. Les quatre autres planètes du Système Solaire, composées de roches, sont beaucoup plus petites. Ce sont Mercure, Vénus, la Terre et Mars. Bien plus proches du Soleil, elles reçoivent en permanence, et de plein fouet, les radiations mortelles de notre étoile. Seule une atmosphère peut protéger contre ces rayons tueurs.

— Monsieur ? l'interrompit Jerry.

— Oui ?

— L'effet de serre, monsieur… Voulez-vous toujours que je réponde ?

Si quelqu'un d'autre avait posé la question, toute la classe aurait rigolé. Mais là, c'était Jerry. Personne ne tenait à avoir affaire à lui à la sortie, alors aucun élève ne broncha.

— Ce ne sera pas nécessaire, dit le professeur, c'est ce que je suis en train d'expliquer. Et vous feriez bien d'écouter attentivement, car la réponse est liée à l'arme que le Tyran essaie d'utiliser contre la Terre entière.

Une vague de peur se propagea parmi les enfants : jamais aucun professeur n'avait parlé du Tyran en cours.

— Pour que vous compreniez bien les dangers qui menacent la Terre, je veux vous parler de deux planètes que les scientifiques étudient depuis longtemps : Mars et Vénus. Mars a perdu une grande partie de son atmosphère il y a très longtemps. Les vents solaires et d'autres radiations la lui ont arrachée pour l'expédier dans l'espace. Du coup, le sol de Mars est mitraillé par le Soleil, et la vie à la surface de cette planète, à supposer qu'elle y soit apparue un jour, ne peut pas exister aujourd'hui. En plus, comme il n'y a pas d'atmosphère suffisante pour retenir la chaleur du Soleil, il y fait jusqu'à - 125 °C.

— Cela veut dire qu'il n'y a pas de vie sur Mars ? demanda Henry.

— Non, cela ne veut pas dire cela. En fait, nous ignorons s'il y a de la vie là-bas, car il peut y en avoir une, cachée dans le sol martien. Pas des hommes ou des femmes, cela, nous le savons, mais peut-être des bactéries. Pour en être certains, il faudrait envoyer des satellites sur place, avec des robots spécialisés ou, mieux encore, avec des êtres humains.

— On est capables de faire ça, monsieur ? demanda un autre élève.

— Oui, répondit M. Azul, nous y reviendrons plus tard. Maintenant, je veux vous parler de Vénus, dont l'atmosphère est à l'opposé de celle de Mars. De toutes les planètes que nous connaissons, Vénus ressemble le plus à la Terre, du moins par la taille. Elle est quasiment notre sœur jumelle. Et son atmosphère a tellement résisté aux attaques de l'espace qu'au fil des années, son ciel s'est rempli de particules, de molécules et de poussières qui emprisonnent la chaleur du Soleil. Du coup, l'air y est devenu acide, et tellement lourd qu'il a aplati au sol tous les objets que l'homme y avait envoyés. Sur Vénus, il fait en moyenne environ 464 °C, jour et nuit. Cette planète est un enfer, elle est totalement invivable.

Il s'interrompit un instant avant de lancer :

– Est-ce que quelqu'un sait pourquoi la Terre est différente de ces deux planètes ?

Henry leva la main, mais quand il vit que Jerry voulait répondre lui aussi, il la baissa, et personne d'autre ne bougea.

– Elle est entre les deux, monsieur, répondit l'ex-futur général, qui ne savait pas encore qu'il n'y avait plus de royaume à reconquérir et à défendre. Grâce à l'effet de serre, qui permet à la chaleur de rentrer mais pas de ressortir, l'atmosphère de la Terre est juste comme il faut pour nous protéger du Soleil et emmagasiner la bonne quantité d'énergie sans qu'il ne fasse ni trop chaud ni trop froid.

– C'est cela, fit le professeur. L'atmosphère de la Terre a trouvé un équilibre remarquable avec le Soleil. Grâce à cet équilibre, notre planète n'est pas une fournaise, comme Vénus, ni une glacière la nuit, comme Mars. Sur Terre, il fait en moyenne 15 °C au sol : à cette température, l'eau peut être à l'état liquide, solide ou gazeux. De toutes les planètes que nous connaissons, seule la Terre possède cette propriété extraordinaire. Et, comme vous le savez, les nuages sont faits à la fois d'eau, de vapeur d'eau et de cristaux de glace, donc les trois états y sont présents.

Henry leva la main de nouveau.

– Oui, Holgart, fit le professeur.

– Quel est le rapport avec le Tyran, monsieur ?

– Le Tyran essaie de dérégler notre atmosphère en augmentant l'effet de serre, Holgart. C'est très grave.

– Pourquoi c'est grave, monsieur ?

– Parce que, en déréglant l'atmosphère, on peut rompre l'équilibre avec le Soleil, et tout bouleverser jusqu'à ce qu'un nouvel équilibre soit atteint. Seulement, on ne sait pas quel serait ce nouvel équilibre, et tout risque de devenir beaucoup, beaucoup plus violent et dangereux. Les vents peuvent devenir plus forts, les tempêtes plus terribles, les pluies torrentielles.

– Pourquoi veut-il faire ça, monsieur ? demanda Myrtille.

– Ça, nous ne le comprenons pas.

Tom toucha le livre du Maître des Vents qu'il avait décidé de garder toujours sur lui, sous sa chemise. Il savait, lui, ce que le Tyran essayait de faire : transformer le climat pour l'utiliser comme une arme de guerre.

Soudain, un fracas provenant du fond de la classe fit sursauter tout le monde. C'était Tristam, qui était tombé de sa chaise dans son sommeil. Il se releva, hagard, l'air de se demander où il était et entendit toute la classe éclater de rire.

– Drake ! hurla M. Azul, furieux.

– Que s'est-il passé ? lâcha Tristam, désorienté, cherchant Tom du regard. Où est mon lit ?

– Ça suffit ! vociféra le professeur, le visage violet. Drake, tu es une honte pour notre village. Pire encore : tu es une honte pour la science ! Sors d'ici ! Briggs, accompagne-le dans le bureau de la principale. Exécution ! Je ne veux plus le voir de la journée.

L'effet de serre

Sans le Soleil, il ferait aussi froid sur Terre que dans l'espace : -270°C environ.

Comme le Soleil éclaire la Terre différemment à différents endroits, la température change d'un lieu à un autre : il peut très bien faire, au même moment, -70°C en Antarctique et +50°C dans le désert. Mais si on calcule la moyenne sur toute la surface de notre planète, on trouve qu'il fait +15°C.

> Le dioxyde de carbone :
> Toutes les voitures que nous conduisons, toutes les sources d'énergie qui utilisent des combustibles fossiles (comme le pétrole) rejettent sans arrêt dans l'atmosphère du dioxyde de carbone.
>
> Une partie est ensuite absorbée par les plantes et les océans. L'autre partie s'accumule dans l'atmosphère et peut y rester pendant plus de 1 000 ans.

Pourtant, le Soleil, à lui seul, ne peut réchauffer la Terre que jusqu'à une température moyenne de -18°C, c'est-à-dire 33°C de moins que ce que l'on mesure !

Pourquoi une telle différence ?

Parce que la Terre possède une atmosphère qui laisse passer l'énergie solaire, la transforme en chaleur et piège une partie de cette chaleur près du sol. C'est ce qu'on appelle l'effet de serre.

Sans effet de serre naturel, l'eau serait gelée à la surface de la Terre, et la vie telle que nous la connaissons ne serait probablement pas apparue.

Pour que la Terre reste en équilibre à une température agréable, il faut que reparte exactement autant d'énergie qu'il en arrive. Si on en garde moins, la Terre refroidit. Si on en garde plus, la Terre se réchauffe.

Les deux gaz les plus abondants de l'atmosphère sont l'azote et l'oxygène. Qu'il y en ait plus ou moins ne change pas grand-chose à la façon dont est piégée la chaleur. En revanche, le méthane, le dioxyde de carbone et la vapeur d'eau sont des gaz qui laissent entrer de l'énergie mais empêchent la chaleur de ressortir vers l'espace. Ce sont des gaz à effet de serre. Il y en a très peu, mais ils sont très efficaces.

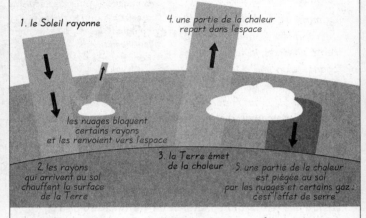

1. le Soleil rayonne

4. une partie de la chaleur repart dans l'espace

les nuages bloquent certains rayons et les renvoient vers l'espace

2. les rayons qui arrivent au sol chauffent la surface de la Terre

3. la Terre émet de la chaleur

5. une partie de la chaleur est piégée au sol par les nuages et certains gaz : c'est l'effet de serre

Les scientifiques ont installé des bases en Antarctique où ils prélèvent des carottes de glace profondes de plusieurs kilomètres. Ils analysent ensuite les petites bulles d'air qui sont piégées à l'intérieur. Ce faisant, ils peuvent reconstituer la composition de l'air jusqu'à il y a... 500 000 ans.

Voici leur conclusion : cela fait au moins 500 000 ans que notre atmosphère n'a pas contenu autant de gaz à effet de serre qu'aujourd'hui.

Nous savons que ces gaz changent l'équilibre énergétique de notre atmosphère et que c'est à cause de l'homme qu'il y en a trop.

Les conséquences d'un réchauffement du climat mettent du temps à se faire sentir. Nous savons que ce n'est qu'à partir d'aujourd'hui que nous allons commencer à ressentir ces effets, même dans notre vie quotidienne.

Chapitre 15

– Je n'ai pas envie d'aller chez la principale, dit Tristam à son ami, une fois dans le couloir.

– Fallait y penser avant, répondit Tom. Qu'est-ce que tu veux qu'on fasse maintenant ? On n'a pas le choix.

Les deux garçons avancèrent vers le bureau de la principale en traînant les pieds. Tristam ne remarqua pas que Tom était encore plus soucieux que lui. Arrivé devant la porte de Mlle Peel, au lieu de frapper, Tom se tourna vers Tristam.

– Tu sais que Myrtille était chez toi, hier soir ?

– Oui, répondit Tristam en montrant la vilaine cicatrice qui marquait la paume de sa main. Comme un imbécile, j'ai touché la barrière de sécurité. Après, j'ai eu très froid et je suis tombé dans les champs de riz. C'est là que Myrtille m'a trouvé. Elle m'a ramené à la maison et elle est partie. Enfin, je crois, je me suis endormi.

– Viens, fit Tom, il faut que je te raconte ce qui s'est passé chez nous au dîner.

Tristam ouvrit grands les yeux et sourit : Tom ne l'amenait pas chez la principale ! Ils s'approchèrent de la sortie de secours de l'école, celle qui donnait sur les rizières.

Là, adossé au mur, Tom lui raconta que le roi avait aban-donné l'idée de la reconquête du royaume du Nord.

– C'est pas possible ! souffla Tristam. Mais… qu'est-ce que vous allez faire ?

– Je crois que mon père veut qu'on continue à vivre ici, comme si de rien n'était, en espérant que le Tyran ne nous retrouvera pas.

– Et si le Tyran arrive ici quand même ? Il a un plan, ton père ?

Sans répondre, Tom avoua :

– J'ai suivi Myrtille quand elle est allée chez toi, hier soir, et j'ai écouté à la porte.

– T'as fait ça ? lâcha Tristam, étonné. Mais pourquoi ?

– Ne pose pas de questions ! Tu sais ce que j'ai entendu ?

Tristam fit non de la tête.

– Il y a un moyen de partir du Blueberry ! Il est prévu que Myrtille s'évade, si jamais le Tyran nous localise.

– Ah bon ?

– Ce moyen, c'est la moto des airs sur laquelle ta mère est arrivée.

– Elle marche ?

– Oui, c'est ce que ta mère a dit. Elle est cachée, au cas où. Tu sais où elle est ?

– Bien sûr que non ! On serait déjà allés la voir, toi et moi, si je le savais !

Tristam n'en revenait pas : il existait un moyen de partir du Blueberry ! Il existait un moyen d'aller voir ces villes incroyables dont sa mère lui parlait quand il était enfant ! Pourquoi elle ne le lui avait jamais dit ?

– Mais bien sûr ! s'exclama Tom au bout d'un moment.

Tristam regarda son ami d'un air interrogateur.

– C'est pour ça que ta mère ne te l'a pas dit : elle savait que tu ne pourrais pas t'empêcher d'aller voir la moto, et même d'essayer de voler avec. Elle te connaît bien !

– On va la trouver quand même ! déclara Tristam en souriant. D'accord ?

Tom resta silencieux un moment en regardant par terre. Il s'apprêtait à avouer qu'il avait eu peur que Tristam ne parte sans lui, quand la porte de l'école qui donnait sur la place du village s'ouvrit à la volée. Les deux garçons sursautèrent et se cachèrent derrière les manteaux des élèves qui pendaient au mur.

Quelqu'un courait dans le couloir. C'était le colonel, habillé en uniforme. Il se précipita à l'intérieur de la classe de M. Azul et en ressortit quelques instants plus tard en tenant Myrtille par la main.

– TRISTAM ! hurla-t-il en regardant autour de lui. TRISTAM ! VIENS ICI TOUT DE SUITE !

Plaqués contre le mur, Tristam et Tom n'osèrent pas bouger.

Le colonel emmena Myrtille vers le bureau de Mlle Peel, où ils entrèrent sans frapper.

– Il a l'air furieux ! chuchota Tristam. Il faut que je me cache !

Il s'élança vers la porte de secours et sortit de l'école. Tom le suivit, et ils coururent dans les champs, droit devant eux. Ils s'arrêtèrent, tout essoufflés, à mi-chemin de la barrière de sécurité.

Le vent s'était levé, et le temps s'était dégradé. Les quelques petits nuages du matin s'étaient étendus et recouvraient maintenant les hauteurs du ciel d'une fine nappe grise. Un halo irisé entourait le soleil.

Un sentiment d'appréhension fit frissonner Tristam, comme si une araignée aux pattes mouillées escaladait sa colonne vertébrale. Il se retourna vers le village et vit une colonne de fumée noire s'élever au-dessus d'une des maisons.

– Qu'est-ce que c'est que ça ? lâcha-t-il.

Un deuxième filet de fumée apparut à côté du premier. Puis un troisième, un quatrième... Debout à côté de Tristam, Tom devint blême.

– Oh non...

Il n'y avait plus de doute possible : le village était en feu.

Tristam tourna la tête vers sa maison, et son sang se glaça : elle brûlait, elle aussi !

– Ma mère ! hurla-t-il en se ruant dans cette direction.

Tom le retint par le bras et lui montra une silhouette qui leur faisait des signes depuis la sortie de secours de l'école.

— Maman ! cria Tristram.

À cet instant, trois plates-formes volantes apparurent au-dessus des toits et les deux amis comprirent ce qui se passait : les troupes du Tyran étaient là. Elles venaient d'attaquer le Blueberry.

— Suivez-moi ! hurla la mère de Tristam en se précipitant vers la maison de Tom.

Au même moment, une dizaine de soldats jaillirent de l'école.

— Je les veux vivants ! vociféra l'un d'entre eux en désignant Tristam et Tom.

Les militaires se lancèrent à leur poursuite. Paniqués, les deux amis coururent aussi vite qu'ils le purent pour rattraper la mère de Tristam.

Chapitre 16

Le vent soufflait de plus en plus fort. Les tiges de riz fouettaient les bras et le torse des deux garçons qui s'enfuyaient devant la meute des soldats. Affolés, ils ne pensaient qu'à courir et courir encore pour rattraper Mme Drake. La barrière de sécurité approchait. La mère de Tristam, qui était arrivée au bout du village, bifurqua à droite et disparut derrière la maison des Briggs.

– Maman ! cria Tristam. Attends-nous !

Les hurlements des soldats redoublèrent d'intensité. Les deux amis, hors d'haleine, parcoururent les derniers mètres et virent Mme Drake se précipiter dans la remise du colonel. Quelques instants plus tard, Tristam et Tom y entraient eux aussi. Ils se jetèrent vers la trappe, que la mère de Tristam tenait ouverte devant eux. Elle descendit après eux et bloqua l'accès à la bibliothèque secrète en faisant coulisser une planche de bois par-dessous.

– Enlevez tous les livres de ces étagères ! ordonna-t-elle en montrant le mur derrière le petit bureau. Vite !

Au-dessus de leurs têtes retentirent les pas des soldats, qui venaient d'entrer dans la remise. Tristam et Tom regardèrent les étagères.

— Vous voulez qu'on les mette où ? demanda Tom, complètement perdu.

— Jetez-les par terre, dépêchez-vous ! répondit la mère de Tristam en faisant elle-même voler les ouvrages dix par dix.

Une massue s'abattit sur le plafond et la pièce entière trembla. La moitié des livres tomba par terre. Tom restait immobile, comme pétrifié.

— Tom ! éclata Mme Drake. Il y a deux cents soldats du Tyran là-haut. Si on traîne, on est morts ! Écartez-vous !

Les garçons reculèrent de quelques pas, et elle tira sur la bibliothèque, qui s'effondra à ses pieds, dévoilant une porte.

Un deuxième coup de massue fit exploser une des lattes de la trappe au-dessus de leurs têtes.

La jeune femme ouvrit la porte secrète, et la lumière du jour s'engouffra dans la pièce. La porte donnait directement sur le ciel et l'océan. Les yeux grands ouverts, Tom et Tristam découvrirent un engin étrange posé au bord du nuage, sur un embarcadère en bois qui s'avançait dans le vide. Deux paires d'ailes accrochées au long corps de la machine la faisaient ressembler à une libellule.

La mère de Tristam se jeta sur l'engin et alluma le moteur. Les ailes s'écartèrent et s'ouvrirent. La machine se mit à vibrer, prête à s'envoler.

Mme Drake se retourna vers son fils et le prit dans ses bras alors qu'une deuxième latte de la trappe volait en éclats.

— La libellule est programmée pour vous emmener au Village Blanc, souffla-t-elle. Pour enclencher le pilote automatique, vous devez appuyer sur le bouton une fois qu'il sera blanc. Tu m'entends ? Même si vous mourez de froid, attendez que le bouton soit blanc, sinon les soldats du Tyran vous rattraperont.

– Et toi ? fit Tristam, inquiet.

– Je vous retrouverai.

– Et Myrtille ? demanda Tom.

– Elle ne devrait plus tarder à arriver.

– Mais qu'est-ce qu'on va faire au Village Blanc ? gémit Tristam.

– Il faut que vous retrouviez Yage Heather. Souvenez-vous bien de ce nom. Yage Heather. Dans la boîte à gants de la libellule, il y a un petit paquet. Tu le lui donneras, et elle s'occupera de vous.

Belle comme jamais, Mme Drake s'approcha de son fils et le prit dans ses bras.

– Je t'aime, mon petit prince, lui chuchota-t-elle à l'oreille avant de plonger ses doux yeux bleus dans les siens. Ton père serait fier de toi.

Tristam frémit et serra sa mère contre lui. Elle n'avait pas mentionné son père depuis des années.

– Je t'ai regardé grandir, poursuivit-elle en l'installant à l'avant de la moto des airs, devant Tom, qui s'était déjà assis sur le siège passager. Tu possèdes toutes les qualités pour être maître de ton destin. Quoi qu'il arrive, n'abandonne jamais tes rêves et reste toi-même, surtout quand tu seras confronté à tes responsabilités d'homme.

Tristam avait la gorge serrée. Tellement de questions qui le taraudaient depuis toujours étaient restées sans réponse ! Et maintenant qu'il s'apprêtait à quitter sa mère, maintenant

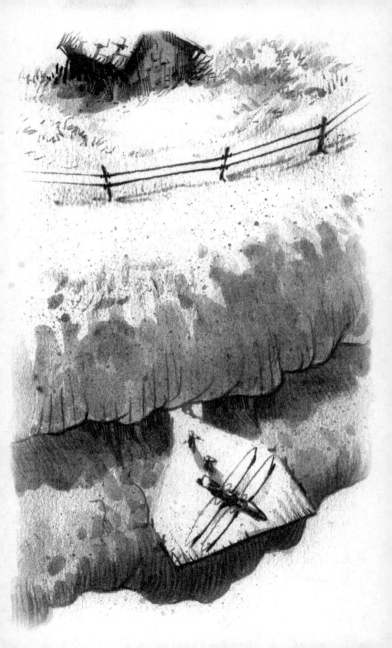

qu'il pouvait tout lui demander, plus rien ne fonctionnait dans son esprit.

— Tu trouveras les réponses au fond de toi, répondit sa mère qui avait lu ses pensées sur son visage. C'est mieux ainsi. Mais souviens-toi toujours de ceci : quoi que tu entendes, quoi que tu découvres, sache que ton père était un homme bon, autrefois.

Derrière eux, dans la bibliothèque, la dernière latte de la trappe explosa et les soldats du Tyran sautèrent à l'intérieur de la pièce. Ils étaient habillés de noir ; des cagoules cachaient leurs visages. Ils portaient tous une arbalète, qu'ils pointèrent sur Mme Drake.

Le dernier homme à descendre était différent des autres. Par-dessus ses habits militaires, il portait une cape sombre, sur laquelle étaient brodés des nuages de tempête de neige.

Sans hésiter, et sans attendre Myrtille, la mère de Tristam enclencha le système de décollage de la moto des airs et se retourna vers l'homme en cape. Il fit un pas en arrière.

— Ne tirez pas ! ordonna-t-il à ses hommes.

Chapitre 17

Au moment même où le colonel était entré dans la salle de classe de M. Azul, une demi-heure plus tôt, Myrtille comprit que les dernières heures du Blueberry avaient sonné.

– Ils nous ont retrouvés, dit le colonel aux enfants en les fixant droit dans les yeux. Ils sont là. Myrtille, Tristam, venez avec moi, il faut partir.

Myrtille se leva et regarda ses camarades. Certains rigolaient : en entendant le nom de Tristam, ils pensaient qu'il allait se prendre la punition du siècle. Sur le visage de quelques autres, plus vifs, elle put lire de la crainte mêlée d'incompréhension.

L'esprit de Myrtille tournait à toute allure. Depuis la veille, depuis qu'elle savait qu'elle ne serait pas reine, elle n'était plus la même. Elle se sentait toujours responsable de tous ces gens exilés à cause d'elle, mais elle avait l'impression d'être beaucoup plus forte qu'avant.

« Qu'est-ce qu'ils vont devenir ? se demanda-t-elle en marchant vers la porte. Je ne peux pas les abandonner ! »

– Où est Tristam ? demanda le colonel.

Debout près de son bureau, le visage blanc comme un linge, M. Azul tremblait de tout son corps.

– Où est Tristam ?

– Drake… Il est… Je…

– Je vous avais dit de toujours le garder en cours ! hurla le colonel, fou de rage.

– Je… je l'ai envoyé chez Mlle Peel, avec Briggs… euh… Tom Briggs… votre fils…

Sans attendre qu'il ait fini, le colonel attrapa Myrtille par le bras et l'entraîna dans le couloir.

– Tristam ! cria-t-il une fois dehors, sans apercevoir Tristam et Tom, cachés derrière les manteaux, juste à sa droite. Tristam, viens ici tout de suite !

Silence. Le colonel se précipita vers le bureau de la principale. Mais celle-ci n'avait pas vu les deux garçons.

– C'est pas possible ! C'est pas possible ! pestait le colonel en retournant dans le couloir, où il vit Mme Drake, qui arrivait en courant.

Tristam et Tom, eux, s'étaient déjà enfuis.

– Colonel ! fit Mme Drake. Tristam est avec vous ?

– Non ! Personne ne sait où il est ! s'exclama-t-il en levant les bras au plafond. Il a disparu avec Tom.

– Peut-être qu'ils ont eu peur, murmura Myrtille.

– Je vais voir derrière l'école, répondit Mme Drake en se ruant vers la sortie de secours. On se retrouve devant la libellule ! Si vous lui mettez la main dessus avant moi, qu'il parte avec Myrtille, ne m'attendez pas. *Il ne faut pas* qu'il tombe entre les mains du Tyran !

Le colonel eut beau fouiller toute l'école en appelant Tristam, on eût dit que le garçon s'était volatilisé. Finalement, il se résigna à partir.

– Suivez-moi ! lança-t-il à Myrtille. Espérons que Mme Drake aura retrouvé son fils.

Mais Myrtille ne bougea pas. Elle regardait le colonel avec des yeux à la fois tristes et autoritaires.

– Qu'est-ce qui va vous arriver, à vous et aux autres ?

– Ce n'est pas votre problème, Myrtille. N'y pensez pas. Il faut obéir à votre père, je vous en supplie ! Je lui ai juré de vous protéger.

La princesse se tenait droite devant lui. Elle savait que les soldats du Tyran étaient là, dans le village, et qu'ils n'allaient pas tarder à envahir l'école ; elle percevait la terreur des villageois qui se propageait dans l'air. Mais malgré cela, malgré les supplices du colonel, elle était calme, comme si elle avait attendu ce jour toute sa vie et se sentait soulagée qu'il soit arrivé.

– Mon père doit être un homme remarquable pour avoir suscité un dévouement comme le vôtre, colonel, dit-elle.

Dans sa voix, qui n'était plus celle d'une petite fille, le vieux militaire reconnut l'intonation du roi du Nord. Il s'agenouilla devant Myrtille.

– Princesse, nous n'avons que peu de temps ! Il faut partir.

– Relevez-vous, colonel, demanda Myrtille d'une voix douce. Vous n'avez pas à vous agenouiller devant moi, je ne suis plus l'héritière du trône. Et je ne fuirai pas.

– Je vous en conjure ! insista le colonel, qui ne semblait pas comprendre ce qu'elle lui disait.

— Allons rejoindre les villageois ! lança Myrtille. Notre place est avec eux.

— Mais... nous n'avons aucune défense ! Nous avons juste prévu le moyen de vous évacuer en cas de danger !

— Eh bien, rendons-nous, cela évitera aux habitants de Blueberry de se faire tuer pour rien.

— Princesse... Par le passage de la bibliothèque, nous pouvons gagner la libellule en quelques minutes...

Mais Myrtille n'écoutait plus : sa décision était prise. Elle se dirigea vers l'entrée principale de l'école et sortit sur la place du village.

Chapitre 18

La moto des airs flottait à une dizaine de mètres du nuage. Tristam et Tom aperçurent, à deux kilomètres sous eux, les rives de l'île au volcan.

– Ne tirez pas, répéta l'inconnu en cape, mais attrapez-les !

Ses hommes sautèrent sur l'embarcadère et lancèrent vers la libellule des cordes munies de crochets. L'un d'eux se planta dans le flanc de l'appareil, près de Tom.

– Détache-le ! hurla Tristam, qui voyait les soldats arrêter sa mère.

Tom eut beau s'acharner, la corde était complètement emmêlée dans l'aile de la libellule. Avec un cri de triomphe, les soldats les tirèrent à eux. Encore quelques mètres, et les garçons seraient à leur merci !

Soudain, les ailes de la libellule se mirent à tourner.

– Lâchez la corde, ou vous aurez les mains arrachées ! ordonna un gradé.

Les soldats s'exécutèrent, et la moto des airs bondit. En une fraction de seconde, les deux amis furent propulsés vers le haut à une vitesse étourdissante. La corde fut réduite en cendres par les flammes s'échappant du moteur.

Ils eurent juste le temps d'entendre le soldat en cape lancer :

— Ce ne sont que des gamins, ils n'iront pas bien loin.

Les deux garçons survolèrent la maison de Tom. Il y avait des soldats partout. Le premier étage était en flammes. Le cœur serré, Tom aperçut sa mère entourée de militaires.

En un clin d'œil, ils étaient déjà loin, au-dessus de leur nuage. Le village tout entier brûlait. Rassemblés sur la place, cernés par des soldats, les habitants étaient embarqués de force sur des plates-formes volantes. Les sbires du Tyran les emmenaient par groupes de dix, vers la couche de nuages qui s'était épaissie au-dessus du Blueberry. Tristam et Tom virent le colonel, menotté, puis Myrtille, assise sur une moto des airs pilotée par un homme du Tyran.

Collés à leurs sièges, emportés vers les hauteurs du ciel, Tristam et Tom regardaient leur village s'éloigner, impuissants. Les trois quarts des maisons avaient déjà été dévorées par le feu ; les champs au sud du village s'étaient effondrés dans l'océan. Leur nuage était en train de disparaître.

Bientôt, il n'était plus qu'une petite tache blanc et marron au-dessus d'une île, dont le cratère était à présent bien visible.

Tristam fixa le volcan, et son sang se figea : la montagne était identique à celle de la vision qui l'obsédait depuis le contrôle ! Il leva la tête et regarda la nappe de nuages vers laquelle ils montaient. Elle tournoyait légèrement, exactement comme dans sa vision. Il ne s'était pas trompé !

S'il n'avait pas vu le Blueberry, c'est que le Blueberry n'existait plus.

« J'avais réussi à prévoir le futur, pensa-t-il. J'aurais pu prévenir tout le monde… »

La température dégringola au fur et à mesure qu'ils s'élevaient dans les airs. Tristam frissonna et se retourna vers son ami.

Une fine couche de glace s'était déposée sur Tom, qui grelottait ; le givre sur son corps s'épaississait à vue d'œil. Tristam regarda ses propres bras et s'aperçut qu'il en était recouvert lui aussi.

« Appuie sur le bouton blanc, avait dit sa mère. Même si vous mourez de froid, attends que le bouton soit blanc. Sinon, les soldats du Tyran vous rattraperont. »

– Tu… v… vois un un b… b… bouton… bl… blanc ? demanda-t-il en claquant des dents.

– N… n… non, répondit Tom.

Quelques secondes plus tard, ils étaient tous les deux entièrement couverts de glace. Et ils continuaient à s'élever au travers des couches inférieures de l'atmosphère terrestre, où la température passe de « froid » à « glacial ».

Le froid, insupportable, engourdit leurs membres et leurs esprits.

Les paupières gelées, incapable de se concentrer, ni même de cligner des yeux, Tristam fixa le tableau de bord. Sous la couche de givre, le bouton rouge sur lequel sa mère avait appuyé pour lancer le moteur venait de changer de couleur : il était à présent rose pâle.

« Attends qu'il vire au blanc, se dit le garçon, même si tu meurs de froid. »

La nappe de nuages élevés n'était plus très loin. Ils s'en approchaient à toute allure.

À peine capable de remuer, ne pouvant plus ouvrir la bouche et parler à son ami, Tristam jeta un dernier coup d'œil en bas. Il vit l'île entière, le cratère de son volcan...

Le Blueberry avait disparu.

Comme dans sa vision.

Autour de l'île, les plates-formes volantes emportant les villageois emprisonnés se découpaient sur le fond bleu de l'océan.

Soudain, tout devint blanc.

Ils avaient atteint les nuages de haute altitude et étaient entourés de millions de minuscules cristaux de glace.

« Nous sommes dans un cirrus..., pensa Tom, complètement engourdi. Il fait tellement froid que la vapeur d'eau se transforme en cristaux de glace. »

Puis ils jaillirent du cirrus, découvrant un ciel d'un bleu absolu.

Sur la surface du nuage qu'ils venaient de traverser, ils virent des centaines de soldats du Tyran, en formation, qui attendaient l'arrivée des prisonniers le long d'une piste d'atterrissage.

Sur le tableau de bord de la moto des airs, le bouton, de rose pâle, était devenu blanc. Rassemblant ses dernières forces, Tristam appuya dessus.

Les flammes bleues propulsant l'engin s'éteignirent. La poussée verticale de la libellule cessa net, et les deux amis, accrochés à leurs sièges, sentirent leur estomac remonter dans leur ventre.

Les ailes de la libellule se remirent à l'horizontale et de l'air chaud les enveloppa, faisant fondre la glace qui recouvrait le tableau de bord et leurs habits.

La machine volante pivota, et le moteur s'enclencha de nouveau, propulsant la moto et ses deux passagers vers l'est.

DEUXIÈME PARTIE

Le supplice de la planche

Chapitre 1

Tristam et Tom volaient bien au-dessus de l'altitude maximale que peuvent atteindre les nuages naturels. Cela faisait des heures qu'ils avaient traversé la nappe de cirrus, ces nuages de cristaux de glace qui avaient caché les troupes du Tyran avant qu'elles ne s'abattent sur le Blueberry.

Le ciel était différent de celui de leur village : son bleu était plus fin, plus léger, plus froid aussi… Loin sous eux moutonnait une épaisse mer de nuages, qui avait remplacé les cirrus. On ne voyait pas la surface de la Terre ; tout paraissait enveloppé dans du coton blanc.

Tristam n'avait même pas essayé de déchiffrer les indications du tableau de bord devant lui : niveau d'oxygène, pression atmosphérique, taux d'humidité, altitude… les aiguilles désignaient des unités bizarres.

En se concentrant, il aurait peut-être réussi à en comprendre une.

Température locale : - 54 °C.

Si le moteur de leur moto ne s'était pas soudain mis à chauffer, ils auraient été congelés sur leurs sièges.

Tom jeta un regard par-dessus son épaule et découvrit une longue traînée blanche qui suivait leur trajectoire dans le ciel. On aurait dit un nuage comme un autre, sauf qu'il était plus rectiligne et plus fin que la moyenne. Il aurait pu expliquer à son ami qu'il s'agissait d'une « traînée de condensation » typique des machines volantes. Il aurait même pu lui expliquer comment leur longueur permet de prédire le temps.

Mais Tom n'avait pas envie de parler, et Tristam, les yeux rivés sur la mer de nuages qui s'étendait sous eux, n'arrivait pas à ôter de son esprit l'image de sa mère barrant la route aux soldats du Tyran. Il ne comprenait pas pourquoi le colonel n'avait pas essayé de protéger le Blueberry, pourquoi il ne s'était pas battu, pourquoi il n'avait pas tenté de sauver Myrtille.

Les heures défilèrent au milieu d'un silence total.

De temps à autre, leur moto des airs rectifiait sa trajectoire toute seule et accélérait sa course vers l'est, vers la nuit.

La couche de nuages en contrebas perdit peu à peu de l'épaisseur, devint transparente, puis disparut pour laisser place à l'océan. Il n'y avait pas une île, pas un continent. Que de l'eau, partout, à perte de vue.

La nuit approchait ; quelques étoiles se mirent à briller dans les zones les plus sombres du ciel et Tristam se souvint des paroles de sa mère. Il ouvrit la boîte à gants : un petit paquet ficelé était posé à l'intérieur. Dessus, sa mère avait écrit « Yage Heather ». Il referma le clapet et se retourna vers son ami.

— On va s'en tirer, essaya-t-il de le rassurer en se rassurant lui-même. On va trouver cette Yage Heather, et elle

nous aidera à libérer tes parents, ma mère, Myrtille et les autres.

Mais il ne savait pas où ils allaient, ni qui était cette femme qu'ils devaient retrouver, ni ce qu'ils étaient censés faire pour la reconnaître. Il ne savait même pas si la libellule les emmenait au bon endroit, si elle n'allait pas tout d'un coup s'arrêter de voler et tomber dans l'océan. Ils étaient transportés vers une destination inconnue, laissant derrière eux tout ce qu'ils connaissaient.

La traînée de fumée laissée par la libellule demeura visible pendant quelques instants encore, illuminée par le crépuscule, puis elle disparut. Le soleil se coucha. Il n'y avait pas de lune ; ils étaient seuls au milieu de l'immensité.

Inquiet que la pénombre ne les fasse sombrer dans des pensées encore plus noires, Tristam regretta soudain que le ciel ne reste pas bleu une fois la nuit tombée.

Il se tourna vers Tom qui avait l'air complètement abattu, puis leva les yeux vers les étoiles.

– J'imagine que personne ne sait pourquoi le ciel n'est pas bleu la nuit ? lâcha-t-il en espérant faire parler son ami.

Tom ne bougea pas.

« Aïe..., se dit Tristam. Il n'est vraiment pas bien. »

Il avait besoin de son ami mais n'insista pas. Il était loin d'imaginer que Tom se reprochait d'avoir pris la place de Myrtille.

Les minutes et les heures qui suivirent passèrent lentement dans le silence froid de la nuit.

Les étoiles

Nombre d'étoiles visibles tout autour de la Terre :
- à l'œil nu : environ 6000 ;
- avec des jumelles : environ 50 000.

Nombre d'étoiles dans notre galaxie :
- entre 200 milliards et 400 milliards.

Nombre d'étoiles dans l'Univers :
- au moins 100 milliards de milliards (cela est une estimation faite à partir des photos prises par des télescopes, personne ne les a jamais vraiment comptées et il y en a probablement beaucoup plus).

Une des plus vieilles étoiles que l'on connaisse s'appelle HE 1523-0901. Elle est dans notre galaxie et semble être née il y a 13,2 milliards d'années, soit 500 millions d'années après le Big Bang.

Lorsqu'une étoile naît, on la voit dès que sa lumière nous atteint, ce qui peut prendre des dizaines de milliers d'années pour celles qui naissent dans notre galaxie, des millions pour celles qui naissent dans d'autres galaxies.

La Voie Lactée

Dans l'espace, les étoiles se rassemblent en groupes que l'on appelle des galaxies. Il y a des petites galaxies, qui ne contiennent que quelques dizaines de millions d'étoiles, et des grandes, qui en comptent plusieurs centaines de milliards.

Les galaxies peuvent avoir des formes assez différentes, suivant la façon dont sont disposées les étoiles qu'elles contiennent :

- la forme d'un ballon de rugby pour les galaxies dites elliptiques ;
- la forme d'une spirale, plate avec des bras qui entourent leur centre, pour les galaxies dites spirales ;
- une forme difficile à identifier : on les appelle alors des galaxies irrégulières.

Notre étoile, le Soleil, appartient à une grande galaxie spirale qui contient entre 200 et 400 milliards d'étoiles.

Le Soleil (et donc nous aussi car nous le suivons) tourne autour du centre de la galaxie à la vitesse faramineuse de 220 kilomètres par seconde (792 000 km/h), mais la galaxie est tellement grande que notre étoile met quand même environ 226 millions d'années pour en faire le tour. Si l'on devait envoyer un message à la vitesse de la lumière vers le centre de la galaxie, il mettrait environ 20 000 ans à arriver.

On peut voir l'intérieur de notre galaxie, la nuit, d'à peu près n'importe où sur Terre (quand il n'y a pas de nuages et pas trop de lumière). C'est une bande tellement riche en étoiles qu'elle apparaît plus blanche que les autres endroits du ciel.

Les Anciens ont appelé cette bande la Voie Lactée et ce nom est aujourd'hui celui de notre galaxie. Toutes les étoiles que l'on voit la nuit dans le ciel appartiennent à la Voie Lactée, même si elles sont loin de la bande blanche.

Chapitre 2

Les étoiles de la Voie Lactée scintillaient dans le ciel. Tom n'avait pas dit un mot depuis qu'ils étaient partis, mais Tristam sentait qu'il commençait à émerger de ses pensées lugubres.

– La nuit, le Soleil est de l'autre côté de la Terre, dit Tom.

Tristam se retourna.

– De quoi tu parles?

– Du ciel qui n'est pas bleu la nuit. Tu m'as posé une question, non?

– Ah, ça! fit Tristam, qui l'avait complètement oubliée.

– Tu veux connaître la réponse?

– Oui.

– Le jour, le Soleil éclaire l'atmosphère au-dessus de nos têtes d'une lumière blanche. Et dans le blanc, il y a toutes les couleurs. Tant qu'elles sont dans l'espace, les couleurs voyagent toutes à la même vitesse, et du coup elles restent groupées, se mêlent et donnent ce blanc. En entrant dans l'atmosphère de la Terre, la plupart des couleurs continuent tout droit et s'écrasent au sol, mais pas le bleu. Lui, il rebondit sur les particules qui flottent dans l'air. Il ricoche dans toutes les directions et remplit le ciel. C'est pour ça que le ciel est bleu le jour.

— Et la nuit ? demanda Tristam, qui ne comprenait toujours pas pourquoi le ciel était noir une fois la nuit tombée.

Tom ne répondit pas tout de suite. Il sentait ses forces lui revenir peu à peu. Fier de son savoir, il leva les yeux vers les étoiles. Il scruta l'immensité de l'univers et, bizarrement, il éprouva un regain de confiance. « Peut-être que mon père a échoué, pensa-t-il en caressant le livre caché sous sa chemise, mais moi, je deviendrai Maître des Vents, et je vengerai tout le monde. »

— La nuit, murmura-t-il comme s'il se parlait à lui-même, le ciel devient transparent.

Tristam fronça les sourcils. Ce que Tom venait de dire lui paraissait complètement faux.

— Il n'est pas transparent, protesta-t-il, il est noir !

— C'est l'espace qui est noir, répliqua Tom, pas le ciel. Si l'atmosphère n'était pas transparente la nuit, on ne verrait pas les étoiles.

— Alors, le jour, on ne voit pas l'espace ?

— Bien sûr que non ! Le Soleil est bien trop puissant. Au lieu de voir des milliers d'étoiles, comme la nuit, on n'en voit plus qu'une, celle qui est la plus proche de nous, celle qui remplit le ciel de bleu, celle qu'on appelle le Soleil et qu'on voit jaune.

— Mais tu viens de dire que le Soleil est blanc !

— Il est blanc vu depuis l'espace, mais quand on le regarde depuis la Terre, il est jaune parce qu'il a perdu son bleu, qui remplit le ciel. Quand tu enlèves le bleu au blanc, ça donne du jaune.

Tristam resta silencieux quelques instants, à réfléchir à ce qu'il avait entendu. Il n'avait jamais imaginé qu'il pouvait y avoir des étoiles la journée, il n'avait jamais pensé qu'elles étaient juste invisibles. « Même si je ne comprends rien, se dit-il, j'ai réussi à lui changer les idées ! »

– Tu sais ce que c'est, une étoile ? continua Tom. Tu sais que presque toute l'énergie de la Terre vient du Soleil ?

Tristam ne répondit pas. Maintenant que Tom allait mieux, il n'avait plus besoin de lui parler de science. Protégé du froid par la chaleur que dégageait le moteur de la moto, il sentait le vent souffler autour de lui et glisser autour des ailes de la libellule.

– Et la gravitation ? insista Tom. Si notre atmosphère reste autour de la Terre et forme ce ciel que le Soleil chauffe, c'est grâce à la gravitation. Je peux t'expliquer ce que c'est, si tu veux.

– Euh… Eh bien… Et si on en discutait plus tard ?

– Il sait tout ça, le Tyran, alors, c'est important qu'on en sache plus que lui !

– Hein ? Ah oui…, fit Tristam, qui craignait que Tom, maintenant lancé, ne s'arrête plus. Mais… et si… et si on regardait juste les étoiles… en silence ?

À leur droite, une étoile filante traversa le ciel. Elle fendit la nuit avant de s'éteindre dans l'océan.

– T'as vu ça ! s'écria Tristam.

– C'est un bout de comète qui vient de tomber dans l'eau, expliqua Tom.

Tristam soupira, résigné ; mais, à sa grande surprise, Tom ne parla plus.

Ils regardèrent ensemble des dizaines et des dizaines d'étoiles filantes illuminer le ciel. Dès qu'ils en apercevaient une, les deux amis faisaient un vœu silencieux. Tom fit à chaque fois le même, encore et encore, toute la nuit. Il haïssait le Tyran plus que tout au monde. Il pensait que pour le combattre, il n'avait pas le choix : il fallait qu'il devienne Maître des Vents, qu'il apprenne à contrôler les nuages et à diriger leur puissance contre celui qui avait osé emprisonner son père. Personne ne pourrait alors lui reprocher d'avoir pris la place de Myrtille.

Bien que différents de ceux de Tom, les vœux de Tristam se ressemblaient tous eux aussi. Il voulait revoir sa mère, et Myrtille.

Au milieu de la nuit, bercés par la musique du cosmos et enveloppés par la chaleur de leur libellule mécanique, les deux compagnons, épuisés, s'endormirent. Derrière eux, la traînée blanche s'allongea petit à petit, annonçant que la surface de la Terre allait bientôt disparaître derrière de nouveaux nuages.

Chapitre 3

L'aube se leva. L'espace et les étoiles disparurent peu à peu. Le ciel s'illuminait et perdait sa transparence. Il faisait froid, très froid, et tout semblait calme. Tom et Tristam dormaient. Ils ne voyaient pas qu'un indicateur clignotait depuis un bon bout de temps sur le tableau de bord. C'était la jauge du réservoir : il n'y avait presque plus de carburant.

La libellule amorça sa descente vers sa destination programmée et éteignit automatiquement le chauffage afin d'économiser un peu d'énergie. Le clignotement lumineux se transforma en un bip sonore, qui réveilla Tristam. Il regarda autour de lui, gelé.

La vue avait changé. L'océan avait disparu. La surface du monde s'était recouverte d'une couche de nuages bosselés.

De cette nappe blanche, les sommets arrondis de nuages beaucoup plus grands s'élevaient telles des tours éclairées par les rayons orangés du matin.

Grelottant de froid, Tristam ne doutait pas que le bip sonore annonçait un problème imminent, mais il regardait le paysage avec émerveillement.

– Tom ! dit-il en claquant des dents. Regarde ça ! C'est splendide !

La libellule longeait une des tours blanches qui dérivaient avec le vent. Par endroits sa paroi se gonflait ; ailleurs elle se creusait.

— On dirait qu'ils sont vivants, ces nuages ! souffla Tristam. T'as vu ? Ils bougent comme s'ils respiraient !

Les bras engourdis, il se retourna. Tom n'avait pas l'air de vouloir se réveiller : il le poussa, le secoua, le pinça. En vain. Les yeux de son ami demeuraient clos, ses lèvres étaient bleues. Le froid s'était emparé de son corps et de son esprit. Tom était inconscient !

Tristam le tira vers lui et le plaqua contre son dos pour le réchauffer. La libellule bipait toujours. Il scruta les parages : il n'y avait pas de village en vue. Que des masses orangées de gouttelettes d'eau qui surplombaient des collines de nuages blancs et gris.

Soudain, Tristam distingua d'étranges nuages en forme de montagnes. Il y en avait sept. Ils formaient un cercle au centre d'une plaine. Alors que tous les nuages alentour dérivaient majestueusement avec les vents, ceux-là ne bougeaient pas. La libellule se dirigeait droit vers eux et traversa tout d'un coup un courant d'air ascendant qui la propulsa vers le haut de plusieurs dizaines de mètres.

Lorsque le vent cessa, les deux amis survolaient la plaine.

« On approche du but… », pensa Tristam en regardant la surface blanche et plane qui défilait sous eux. Le sol avait l'air solide, comme sur le Blueberry.

La moto des airs vira sur la gauche. Elle contourna une des montagnes immobiles avant de se coucher sur le flanc pour se faufiler entre deux autres.

— Incroyable ! s'écria Tristam en ouvrant ses yeux gelés aussi grands qu'il le pouvait.

Entre les sept montagnes se dressait une cité gigantesque.

Des rizières en terrasse et des hameaux sur pilotis couvraient les pentes nébuleuses et surplombaient une ville cent fois plus grande que le Blueberry.

Le cœur de Tristam se mit à battre d'espoir mais le bip sonore s'arrêta, et le moteur aussi : le réservoir était vide.

En même temps, deux trous s'ouvrirent de chaque côté du tableau de bord, et des petites poignées en sortirent.

Tristam les attrapa et essaya tant bien que mal de diriger l'engin, mais celui-ci, devenu incontrôlable, fonçait droit vers le sol.

Quelques secondes plus tard, la libellule s'écrasa au milieu d'une rizière, à plusieurs centaines de mètres du centre-ville. Le choc projeta les deux garçons entre les épis de riz.

Pourquoi les nuages sont-ils blancs ?

Les gouttelettes d'eau et les cristaux de glace qui forment les nuages sont beaucoup plus grands, en taille, que les molécules d'air qui rendent le ciel bleu.

En passant près d'eux, toutes les couleurs réagissent de la même manière. Du coup, elles ne sont plus séparées et sortent d'un nuage exactement comme elles y sont entrées.

La journée, les petits nuages ont donc la couleur de la lumière qui les éclaire. C'est la couleur du Soleil tel qu'on le verrait depuis l'espace : blanc.

Le soir, illuminés par la lumière du Soleil couchant, les nuages deviennent rouges, orangés, pourpres, parce que seules ces couleurs arrivent jusqu'à eux.

Lorsque les nuages sont trop épais, la lumière n'arrive pas à les traverser et ils deviennent sombres parce que leurs bases sont alors à l'ombre. Mais même pendant le pire des orages, la cime des nuages est toujours d'un blanc éclatant.

Chapitre 4

— Il se réveille, annonça une voix de femme.

Tristam ouvrit les yeux. Il était allongé dans un lit et entouré de trois personnes, un homme et deux femmes. Le plafond de la pièce dans laquelle il se trouvait était peint en vert sombre. Les murs étaient verts eux aussi, mais plus lumineux.

La chambre, dépourvue de fenêtres, était baignée de la lumière douce de plusieurs lampes. L'une des femmes, une grande brune, se pencha vers Tristam. Elle n'avait pas l'air commode.

— Qui êtes-vous ? demanda le garçon. Où suis-je ?

— À l'hôpital, tu as eu un accident. Eux, c'est Marie et Paul. Ils t'ont soigné et guéri.

Tristam regarda l'homme et la femme qui se tenaient à côté d'elle. Lui avait de petites lunettes et les cheveux châtains coupés court. Elle était blonde et un peu plus petite. Ils portaient tous les deux une blouse blanche, tandis que la femme qui venait de parler était habillée d'un manteau sombre brillant.

Constatant qu'il n'y avait qu'un lit dans la chambre, Tristam s'écria :

— Où est Tom ? Où est mon ami ? Comment il va ? Qu'est-ce que vous lui avez fait ?

— Ton ami a un peu plus souffert du froid que toi. Mais il va bien. Il se réveille. On s'occupe de lui dans une autre pièce.

— Je peux le voir ?

— Pas tout de suite.

— Et vous, qui êtes-vous ?

La grande femme brune leva la main pour calmer Tristam.

— Tu l'apprendras plus tard. Pour l'instant, c'est à moi de te poser des questions. Comment t'appelles-tu ?

— Tristam.

— Ton nom de famille ?

— Drake.

— D'où viens-tu ?

— Du Blueberry.

— Comment ?

— Du Blueberry.

Paul et Marie échangèrent un regard et haussèrent les épaules. Manifestement, ils n'avaient jamais entendu parler du Blueberry. La femme au manteau sortit de sa poche un carnet et griffonna quelques mots.

— Où se trouve le Blueberry ?

— Euh… Je ne sais pas, avoua Tristam. Au-dessus d'un volcan, à deux mille mètres du sol.

Elle fronça les sourcils et changea de ton.

— Secoue-toi un peu et souviens-toi de l'histoire que tu as apprise, sinon ça va mal se passer, siffla-t-elle.

Tristam se redressa sur son lit, embêté. La femme n'avait pas l'air de plaisanter. Le problème, c'est qu'il n'avait aucune idée de ce qu'il devait dire…

— Je ne sais vraiment pas, madame. Je n'ai jamais été doué en nébulographie, enfin… vous voyez… le truc sur les nuages, quoi.

— Et où se trouve le pilote de votre véhicule ?

Tristam baissa les yeux, honteux de s'être écrasé.

— C'était moi qui pilotais, murmura-t-il avant de relever la tête et de s'exclamer : mais on ne m'a jamais montré comment faire !

La femme jeta un coup d'œil vers la porte et s'agenouilla à côté de lui. Elle sortit quelque chose de sa poche. Tristam sursauta : c'était le paquet ficelé de sa mère !

— Ceci t'appartient ?

— Rendez-le-moi ! cria le garçon en tentant de le récupérer.

Aussitôt, l'inconnue sauta sur ses pieds et recula. Le cri de Tristam avait attiré l'attention d'une femme soldat, qui fit irruption dans la pièce, lançant des regards méfiants autour d'elle. Elle était habillée en noir, comme les militaires du Tyran qui avaient attaqué le Blueberry. La grande brune glissa le paquet dans sa poche.

— Paul et Marie avaient raison, fit-elle en se dirigeant vers la porte. Tu t'es rétabli étonnamment vite.

Tristam la foudroya du regard et grinça des dents.

— Rendez-moi ça, ou je…

— Silence ! l'interrompit-elle. Le Conseil t'auditionnera dans une demi-heure. La police de la cité ne va pas tarder à arriver pour t'escorter. Tiens-toi prêt.

Sur ce, elle quitta la pièce. Paul et Marie s'approchèrent de leur petit patient.

— Comment te sens-tu ? demanda Paul.

— C'était qui ? grogna Tristam.

— Le maire de la cité, répondit Marie. Elle voulait te voir avant que tu sois présenté au tribunal.

— Quel tribunal ? demanda Tristam en levant les sourcils.

— Celui de ton procès. Repose-toi un peu maintenant, c'est épuisant de répondre aux questions du Conseil.

— Mon procès ? Mais… de quoi on m'accuse ?

Postée près de la porte, la femme soldat les épiait, ne perdant pas un mot de leur conversation. Paul fit tomber un petit instrument médical par terre. Quand il se pencha pour le ramasser, il chuchota à l'oreille de Tristam :

— Si le maire voulait te voir en personne, c'est que tu dois être quelqu'un d'important. Alors, n'en dis pas trop et ne fais confiance à personne. Surtout pas aux militaires.

Marie hocha la tête pour montrer qu'elle était bien d'accord avec lui.

— Éloignez-vous du suspect ! ordonna la soldate.

Marie pivota lentement vers elle.

— Et comment souhaitez-vous que nous l'examinions ? De loin ?

— Alors, parlez plus fort.

— Je veux voir mon ami, exigea Tristam pendant que Paul lui apposait les paumes sur le torse et les bras.

— Eh bien, il faudrait d'abord qu'il se réveille, fit Marie. Je vais demander à son infirmière dans quel état il est.

Elle jeta un regard en biais vers la gardienne.

— Tu ne le verras pas avant l'audience, ça, c'est sûr, ajouta-t-elle. Habille-toi, les policiers seront bientôt là.

— Dites-moi juste où je suis, s'il vous plaît…

— À l'hôpital public, madame le maire vient de te le dire.

— Mais dans quel village ?

Paul et Marie dévisagèrent Tristam en lui faisant signe de se méfier de la soldate.

— Tu es dans la Cité Blanche, voyons, répondit Marie. Le coup que tu as pris sur la tête t'aurait fait perdre la mémoire ?

« Catastrophe ! pensa Tristam. On n'est pas au bon endroit… »

— Combien de temps ai-je dormi ? murmura-t-il.

— Trois jours. Maintenant, habille-toi, ordonna Paul en lui tendant ses habits. Ton escorte est en route.

Quand les infirmiers et la soldate l'eurent laissé seul, Tristam ôta sa blouse d'hôpital et mit ses vêtements tant bien que mal.

Paul et Marie réapparurent quelques minutes plus tard, accompagnés de policiers en uniforme blanc. De petites arbalètes étaient suspendues à leur ceinture. Marie tenait une tasse à la main.

— Bois ceci, lui dit-elle.

— Qu'est-ce que c'est ?

— Un remontant.

Tristam renifla le liquide : il ne sentait pas trop mauvais. Il en but une gorgée. C'était bon, un peu sucré. Il vida la tasse d'un trait.

— On y va ! lança un des policiers. Il peut marcher ?

— Je pense que oui, répondit Paul. Mais doucement.

Avec mille précautions, il aida Tristam à se redresser, puis se pencha à son oreille pour lui chuchoter :

— Ton ami s'est réveillé ce matin, mais il est encore faible. Il est en route pour l'audience.

Tristam bondit hors du lit et s'écria :

— Allons-y ! Qu'est-ce qu'on attend ?

Étonnés par ce regain d'énergie, les policiers fixèrent la tasse que le garçon venait de vider alors que leur prisonnier se dirigeait déjà vers la sortie. Ils le rattrapèrent en courant et l'escortèrent le long d'un couloir plein de placards, de médecins et d'infirmières.

— Ne tente pas de t'échapper, lui conseilla le chef de patrouille. Ne joue pas au plus malin avec moi, ou tu vas le regretter.

Mais Tristam n'avait aucune envie de s'échapper, il voulait juste retrouver Tom le plus vite possible.

La femme soldat, restée en arrière, les regarda s'éloigner, puis se glissa dans la chambre de Tristam. Elle sentit la tasse et avala les quelques gouttes qui restaient au fond, comme si elle espérait que la boisson lui ferait le même effet qu'au prisonnier. Il ne se passa rien. Le remède miracle était juste une tisane.

— Il est bizarre, ce gosse, marmonna-t-elle en sortant de la pièce. Faut que j'en parle au Blizzard.

Chapitre 5

Lorsque la porte de l'hôpital s'ouvrit sur la rue, Tristam fut aveuglé par la luminosité du ciel. Les sommets des montagnes-nuages qui entouraient la cité brillaient d'un blanc pur et si éblouissant qu'il dut suivre son escorte les yeux fermés. C'est ainsi qu'il franchit, sans même s'en rendre compte, un poste de contrôle militaire. À présent, on le menait à travers les avenues du centre-ville.

En ouvrant les yeux, il vit d'imposantes constructions et admira les arches et les grandes fenêtres, les balcons et les gouttières sculptées. Leurs innombrables cheminées crachaient une épaisse fumée noire vers le ciel.

Alors qu'il passait, la tête en l'air, avec ses habits fripés et son escorte policière, les passants lui jetaient des regards hostiles, le prenant sans doute pour un criminel.

Tristam finit par les apercevoir, habillés de leurs vêtements souples et chauds, sans toutefois remarquer leur malveillance. Il pensa aux histoires de sa mère et l'imagina à ses côtés, visitant avec lui cette cité si différente du Blueberry. Un souffle d'espoir se glissa dans son âme : il lui suffirait de raconter la vérité, et les dirigeants de la ville l'aideraient, il en était certain.

Tristam pressa le pas : il lui fallait trouver Yage Heather au plus vite, et partir à la recherche de Myrtille, de sa mère, des parents de Tom... « Des personnes capables de construire une cité aussi belle ne peuvent être que puissantes et bonnes », se dit-il.

Les policiers le regardèrent, étonnés par l'étrange comportement de leur suspect. Il n'était pas courant qu'un criminel soit impatient de faire face au Conseil de la ville !

Ils s'arrêtèrent devant un bâtiment sombre et effrayant, le seul dont la façade ne comportait aucune fenêtre. Son toit était hérissé de dizaines de cheminées qui ressemblaient à des canons pointés vers le ciel. L'optimisme de Tristam retomba d'un coup. Il hésitait à suivre les policiers plus loin ; mais ses états d'âme n'intéressaient personne, et il fut poussé à l'intérieur d'un hall immense et bruyant.

Des centaines de personnes y discutaient, éparpillées par petits groupes. Les hommes avaient tous un chapeau et une canne ; les femmes portaient des robes austères. Tristam se sentit très petit face à ces personnages aux airs tellement sérieux qu'ils en étaient menaçants.

Soudain, tout le monde se tut. Juste derrière Tristam, un groupe d'hommes en haillons venait de faire irruption dans le hall. L'œil brillant et la mine inquiétante, ils vociféraient en agitant les bras.

L'escorte de Tristam accéléra le pas.

— Mais où est la police ? À quoi servent nos impôts ? protesta un homme, furieux que des vagabonds s'introduisent jusque dans la cour de justice.

— C'est la troisième fois cette semaine !

— Il n'y a donc personne pour faire régner l'ordre ?

Les intrus firent quelques pas au milieu de la foule, et la tension monta d'un cran. Soudain, l'un d'eux sortit de sa chaussette un couteau et le lança à travers la salle. Les hommes et les femmes se jetèrent à terre en criant. Le couteau vola au-dessus de leurs têtes et se planta dans un portrait accroché au mur, à l'autre bout du hall. D'un coup d'œil nerveux, Tristam constata que la lame était enfoncée dans la mâchoire de l'homme couronné peint sur le tableau.

— Mort au Tyran ! Longue vie à la Terre ! hurla celui qui l'avait lancée.

Tristam ne parvint pas à voir la suite des événements, car une vague de panique submergea l'assistance. Une partie de son escorte se précipita pour essayer de maîtriser la situation ; les autres policiers l'entraînèrent vers une porte latérale. Un groupe de gens affolés qui s'étaient rués vers la sortie les percuta. Tristam tomba.

— Reste à terre ! lui ordonna un policier.

Il se couvrit la tête avec les bras, mais ne put se protéger des coups de pieds des fuyards qui trébuchaient sur lui.

Quelques secondes plus tard, le hall était vide. Un policier aida Tristam à se relever.

— Que s'est-il passé ? demanda le garçon, dont les vêtements étaient en lambeaux.

Un soldat en noir le dévisageait avec un regard mauvais. Il cracha par terre.

— On devrait se débarrasser de vous une bonne fois pour toutes !

Tristam recula, effrayé. Les policiers qui étaient restés près de lui se postèrent devant le soldat comme pour protéger leur prisonnier.

Le soldat les défia du regard, puis s'éloigna en ricanant.

— Profitez bien, vous n'en avez plus pour longtemps ! Avec ce qui vient de se passer, vous êtes fichus !

Sans répondre, les policiers escortèrent Tristam vers le fond du hall, d'où partaient plusieurs couloirs. Il entendit les commentaires des citadins qui étaient revenus les uns après les autres et qui s'agglutinaient devant le portrait lacéré.

— Ils s'en sont pris au roi ! s'exclamait une femme. C'est scandaleux !

— Il ne faut pas exagérer, quand même, ce n'est qu'un portrait, remarqua quelqu'un.

— Taisez-vous ! protesta un nouvel arrivant. Comment peut-on dire une chose pareille ?

— Dieu merci, les soldats les ont attrapés, ces sauvages.

— Longue vie au roi !

Un policier poussa Tristam à travers une porte qu'un de ses collègues avait ouverte. Il se retrouva dans une vaste salle aux murs recouverts de lattes de bois clair. Le tribunal. À l'autre bout de la pièce, six personnes vêtues de toges vertes attendaient, assises derrière un grand bureau ; sans doute les membres du Conseil de la cité. Au milieu, Tristam reconnut le maire, la femme aux cheveux bruns qui lui avait volé son paquet.

— Assieds-toi, Tristam Drake, ordonna-t-elle.

Face au Conseil, deux gardes se tenaient debout près d'un garçon recroquevillé sur le banc des accusés, les épaules affaissées. Tristam courut vers lui.

– Tom ! Ça va ?

– J'ai froid, répondit Tom en frissonnant.

Il était tout blanc.

– Silence ! cria un garde. Toi, prends ta place !

Quand Tristam se fut glissé à côté de Tom, le maire ajusta ses lunettes, s'éclaircit la voix et agita une clochette. D'une voix autoritaire, elle commença à lire le rapport qu'un membre du Conseil venait de lui remettre.

– Il y a trois jours, un engin volant du type « libellule » s'est écrasé sur la parcelle vingt-quatre, au nord de la cité. L'appareil portait les armoiries du roi. Un paysan a découvert les deux jeunes gens ici présents étendus sur le sol, sans connaissance, à quelques mètres de l'engin.

« Elle a dit "du roi" ! s'affola Tristam, de plus en plus inquiet de la tournure que prenaient les événements. Elle n'a pas dit "du Tyran" ! On est fichus ! » Une bouffée de chaleur lui monta au visage. Il venait de comprendre : ces gens soutenaient le Tyran ! Il jeta un regard à Tom, qui semblait complètement abattu, lui aussi.

– Eh bien, madame le maire, intervint un homme en entrant dans la pièce, encore un procès que l'on commence sans un représentant royal ?

Tristam et Tom pivotèrent. Par-dessus ses vêtements noirs, l'inconnu portait une cape, noire elle aussi. Des nuages blancs évoquant le blizzard étaient brodés dessus. Il contourna le jury et vint s'asseoir sur le siège vide à côté du maire.

– Auriez-vous oublié les termes de notre traité ? poursuivit-il.

– Non, répliqua-t-elle froidement. Vous êtes en retard, Blizzard.

L'homme jeta un coup d'œil sur la pendule accrochée au-dessus de la porte, et un rictus suffisant tordit son visage.

— C'est exact, madame. Dix minutes ! C'est le temps qu'il m'a fallu pour ordonner le renforcement de la présence militaire dans toute la cité.

— Comment osez-vous ? protesta le maire en le dévisageant. Nous ne faisons pas partie des Nuages du Centre, que je sache !

L'homme grimaça avec une froideur glaçante.

— Pas encore, madame, pas encore... Cependant, vous n'êtes pas en position de protester. Si je dois perdre mon temps de cette façon, c'est parce que vous êtes incompétente. Vos policiers ne sont même pas capables de maintenir l'ordre dans cette soi-disant cour de justice ! Soyez assurée que cela ne se reproduira plus. Je m'occuperai personnellement de la sécurité de cette cité dans l'intérêt de tous, y compris le vôtre.

Le maire en demeura sans voix.

— Maintenant, faites votre travail et appliquez les lois royales ! commanda l'homme.

Dissimulant avec peine sa fureur, la femme resta silencieuse quelques instants. Puis son expression changea et elle inclina la tête.

— Bien, poursuivit le Blizzard en pointant un doigt crochu sur Tristam et Tom. Ils ont de drôles de vêtements, ces deux parasites. Qui sont-ils ? Des immigrants ? Des paysans ?

Les yeux rivés sur ses documents, la responsable de la cité prit le temps de se ressaisir.

— Ce sont des paysans, fils de paysans, annonça-t-elle. On les a trouvés à côté de l'un de vos appareils volants. Ils prétendent ignorer qu'il est interdit de s'en approcher.

Tristam et Tom la dévisagèrent, étonnés : que racontait-elle ? Ils ne prétendaient rien du tout ! Ils n'avaient même pas ouvert la bouche...

— J'ai appris qu'ils avaient par la suite dormi trois jours. Pour quelle raison ? demanda le Blizzard.

— Ils se sont battus entre eux comme des chiffonniers, continua-t-elle de mentir. Nous leur avons donné des sédatifs afin de soigner leurs blessures avant l'audience.

— Toujours à gaspiller vos médicaments ! commenta l'homme. Qu'ont-ils volé, ces deux-là ?

— Ils n'avaient rien sur eux.

— Quel est votre verdict ?

— Une nuit en prison, répondit le maire, pour leur apprendre à respecter les lois.

Tristam et Tom se levèrent d'un bond.

— Quoi ? C'est une plaisanterie ?

— Bâillonnez-les immédiatement ! ordonna le maire.

— Arrêtez ! Vous êtes fol... humpfff...

— Au sec... hummmmffff...

Ils ne purent rien dire d'autre : les gardes les avaient bâillonnés et menottés en un rien de temps.

— Des bagarreurs, hein ? Eh bien, on va les calmer : trois jours de prison ! ordonna l'homme en cape. Et donnez-leur un exemplaire des *Lois royales*, qu'ils les apprennent par cœur.

— Trois jours en prison, acquiesça le maire en abattant un petit marteau sur le bureau. Gardes, emmenez-les.

— Au suivant ! cria l'homme en cape tandis qu'on conduisait Tristam et Tom vers leur cellule.

Chapitre 6

Le cachot dépourvu de fenêtre se trouvait dans les profondeurs du nuage sur lequel était bâtie la Cité Blanche. Assis côte à côte sur le lit qu'ils devaient partager – en réalité, une planche fixée au mur à l'aide de barres métalliques – Tristam et Tom n'osaient pas parler. Éclairés d'une faible lumière qui leur parvenait par la petite ouverture grillagée de la porte, ils s'aperçurent qu'ils n'étaient pas seuls.

Un vieillard était couché sur l'autre planche de la cellule. Il était très maigre, et sa peau semblait transparente. Il n'avait pas bougé depuis leur arrivée.

– Tu crois qu'il est mort ? chuchota Tristam.

– Non, il respire.

L'ampoule du couloir clignota, et l'espace d'un instant la pièce fut plongée dans le noir le plus complet. Les deux amis se blottirent l'un contre l'autre. Tristam ne quittait pas des yeux le vieillard endormi.

– Peut-être qu'ils l'ont oublié ? continua Tom. Peut-être qu'ils vont nous oublier nous aussi ?

– On n'est pas dans le bon village, affirma Tristam.

– Ça, je m'en suis rendu compte ! Et t'as vu ? l'homme à la cape, au tribunal, il portait le même dessin dans le dos que le type qui a arrêté ta mère et celui qui s'est envolé avec Myrtille !

– Oui, j'ai vu.

– C'est un des soldats d'élite du Tyran. Mon père m'a parlé d'eux. Ils s'appellent des Blizzards.

– J'en étais certain…, fit Tristam en baissant la tête. On est tombés dans une ville du Tyran.

– Pas sûr ! Tu as entendu ce que le maire et le soldat avec la cape se sont dit, non ?

– Je la déteste, celle-là ! lança Tristam. Tu te rends compte ? Elle envoie des enfants en prison ! Et puis, elle a pris le paquet que ma mère m'avait donné.

« Et mon livre », pensa Tom avec tristesse. Depuis qu'il s'était réveillé à l'hôpital, il n'avait cessé d'y penser. Cet ouvrage était son seul moyen d'apprendre comment combattre le Tyran ! Il avait failli pleurer en constatant qu'il ne l'avait plus. Mais depuis qu'il avait vu cette femme tenir tête au Blizzard, un petit espoir de récupérer son trésor était né.

– Les soldats…, fit-il, songeur. À mon avis, ils obéissent au Blizzard. Les policiers, eux, sont sûrement d'ici. On dirait qu'ils ne sont pas du tout contents que les autres soient là.

Tristam se rappela l'incident survenu dans le hall du tribunal. Il aurait juré que la police l'avait protégé du soldat agressif. L'analyse de Tom était juste, comme d'habitude.

– Tris ?

– Oui ?

– Qu'y avait-il dans le paquet de ta mère ?

– Je ne sais pas. Je ne l'ai pas ouvert. Pourquoi ?

Tom ne répondit pas, car le vieil homme venait de s'asseoir sur sa planche. Il avait l'air hagard, et les traits tirés.

– Bonjour, monsieur, murmura Tristam en faisant un signe timide de la main au vieillard.

Mais son regard fixe semblait leur passer au travers.

« Mince, il ne nous voit même pas ! pensa Tom. Si ça se trouve, c'est un fou ! »

Soudain, les yeux de l'inconnu s'illuminèrent, comme si un feu enfoui au plus profond de son âme venait d'être ravivé. Il se leva avec une énergie insoupçonnable dans un corps aussi chétif, mit les mains sur ses oreilles pour mieux entendre et commença à tourner en rond.

– Taisez-vous ! ordonna-t-il. C'est lui ! C'est Moondy. Vous l'entendez ? Ha ! Ha !

Tristam et Tom se plaquèrent contre le mur. Sa voix, très rauque, était celle d'un homme qui n'avait pas parlé depuis très longtemps. Son visage avait une expression démentielle.

– Vous entendez ? répéta-t-il. Dites-moi que oui ! Entendez-vous Moondy ?

Les deux amis échangèrent un regard effrayé, convaincus que le vieillard avait perdu la tête.

– Fais semblant d'écouter, chuchota Tristam.

Ils mirent leurs mains autour de leurs oreilles, regardèrent vers le plafond et se mirent à écouter malgré eux.

Leur prison était calme, mais pas silencieuse.

Des sons venaient d'un peu partout. Il y avait les pas des gardiens au bout du couloir, de petits bouts de conversations incompréhensibles et des grognements d'autres détenus qu'on entendait à travers les murs. Et il y avait le vent aussi,

qui enveloppait tout et bourdonnait en se faufilant dans les fondations de la cité.

Tristam regarda l'inconnu avec crainte : le vieux devait entendre des sons qui n'existaient pas.

— Alors ? insista le vieil homme comme s'il doutait maintenant de lui-même. Alors ? Vous entendez ?

— Oui…, dit Tom d'une voix quasiment inaudible, les yeux fermés. Je crois que j'entends quelque chose…

— Vraiment ! s'exclama le vieil homme.

— T'entends quoi ? demanda Tristam.

— Chut…, firent les deux autres.

Contrarié, Tristam serra les paupières pour mieux écouter. Mais il ouvrait les yeux toutes les trois secondes pour surveiller le vieillard surexcité et avait du mal à se concentrer.

Soudain, enfouie dans le bourdonnement du vent, il entendit une mélodie douce et paisible. Le son, très léger, semblait transmettre de la joie à travers les murs et faisait écho à la mélancolie du grand-père.

— L'air et le vent, chuchota Tom. Le son peut se propager dans l'air, et le vent le porte. Dans l'espace, nous n'entendrions rien.

— Boucle-la, l'interrompit Tristam.

— C'est moi qui lui ai appris à jouer…, annonça le vieil homme avec fierté. Il a toujours été très doué. Il joue mieux que moi, maintenant.

— C'est de la flûte ? devina Tom.

— Oui. C'est Moondy. Il joue pour moi.

L'oxygène

Lorsque les premiers organismes vivants sont apparus sur Terre, il y a 3,5 milliards d'années, il n'y avait pas d'oxygène dans l'atmosphère.

Pendant des centaines de millions d'années, ces premiers organismes évoluèrent, jusqu'au jour où des bactéries très spéciales apparurent : les cyanobactéries. Elles existent encore aujourd'hui et ont une capacité extraordinaire : elles peuvent se procurer de l'énergie en cassant des molécules d'eau. Ce faisant, elles rejettent de l'oxygène dans l'atmosphère.

Au début, cet oxygène fut rapidement absorbé par les océans. Cela a donné du temps aux autres organismes vivants pour évoluer et trouver des protections contre ce nouveau gaz. Ces protections sont nécessaires, car l'oxygène est un gaz toxique et agressif.

Un milliard d'années plus tard, les océans ne purent plus emmagasiner d'oxygène. L'oxygène des cyanobactéries commença alors à remplir l'atmosphère de la Terre.

une cyanobactérie
(taille réelle : diamètre 5 fois plus petit que celui d'un cheveu)

Aujourd'hui, l'air qui nous entoure contient à peu près la même quantité d'oxygène qu'il y a un milliard d'années, et nous, les humains, comme beaucoup d'autres animaux, sommes maintenant adaptés à cette situation. Non seulement nos organismes ont appris à se protéger de cet oxygène agressif, mais ils en sont même devenus dépendants : en respirant, nos corps capturent l'oxygène de l'air et l'utilisent ensuite pour transformer la nourriture en énergie.

Néanmoins, l'oxygène garde une certaine toxicité et beaucoup de chercheurs travaillent à combattre un de ses effets les plus visibles : le vieillissement de nos organismes.

Chapitre 7

Des heures passèrent. Allongés dans leur cellule sans fenêtre, Tristam et Tom ne cessaient de remuer sur leur planche. Le vieil homme s'était endormi dès que la mélodie avait cessé et marmonnait depuis des mots incompréhensibles.

Tom s'était remis à trembler de froid ; Tristam, lui, pestait contre le maire. Trois jours déjà qu'ils étaient arrivés dans la Cité Blanche, et même s'ils trouvaient le Village Blanc, même s'ils trouvaient Yage Heather, leur mission était compromise. Ils n'avaient plus la boîte de sa mère. Ils allaient devoir se débrouiller tout seuls.

– Je la déteste ! dit-il tout haut pour la énième fois. Elle est complètement folle comme maire !

Le vieillard ouvrit les yeux et se releva.

– Qu'est-ce qu'il a dit ? demanda-t-il à Tom, qui s'était redressé lui aussi.

– C'est quand même fou de nous jeter en prison alors qu'on vient d'arriver !

– De qui parles-tu, jeune excité ? insista le vieillard en regardant Tristam.

Les étoiles du ciel naissent dans de gigantesques nuages de matière qu'on appelle des nébuleuses. Il y en a deux sur cette photographie. La nébuleuse de droite (teintée de vert-orange) est à 9 000 années-lumière de nous. Celle de gauche (teintée de bleu) est encore plus loin : à 20 000 années-lumière.

Cela veut dire qu'avant d'être captée par l'appareil photo, la lumière émise par la nébuleuse de droite a voyagé pendant 9 000 ans, et celle émise par la nébuleuse de gauche pendant 20 000 ans. C'est le temps qu'il a fallu à leur lumière pour arriver jusqu'à la Terre.

Au centre de ces nébuleuses, on peut voir la lumière rosée ou bleutée émise par les toutes jeunes étoiles.

© NASA / Ciel & Espace

Voici l'étoile que nous connaissons le mieux. C'est la nôtre, le Soleil. Comme 300 milliards d'autres étoiles, elle fait partie de la Voie Lactée. Sa lumière met environ 8 minutes 30 secondes pour nous parvenir. Sur cette image, on peut voir des milliards de tonnes de matière qui sont éjectés vers l'espace depuis sa surface.

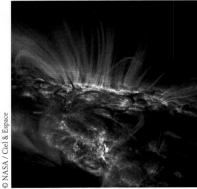

© NASA / Ciel & Espace

Dans son cœur, le Soleil transforme l'hydrogène en hélium. Il y fait 15 millions de degrés Celsius.
À la surface, à 700 000 km du centre, il fait 5 500 °C. Nous voyons ici, comme sur la photographie précédente, que la surface du Soleil n'est pas du tout aussi calme qu'on pourrait le croire.

Le Soleil envoie constamment des radiations et autres particules à ultra haute énergie vers la Terre. La plupart de ces projectiles mortels sont déviés par un bouclier magnétique qui nous protège. Ce bouclier s'appelle la magnétosphère. On le voit ici en bleu, mais

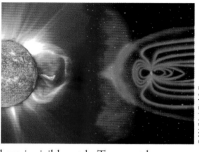

c'est un dessin. En réalité, il est invisible, et la Terre est beaucoup plus loin du Soleil.

Après le bouclier magnétique, la seule protection de la Terre est son atmosphère. Sur cette photo prise de l'espace, on réalise à quel point notre atmosphère est petite. C'est la mince bande bleue qui sépare la Terre de l'espace.
On appelle climat planétaire l'équilibre énergétique qui s'est établi, au niveau de notre atmosphère, entre la Terre et le Soleil.

© NASA / Ciel & Espace

Reconnaître le ciel

Les nuages bas :
altitude comprise entre 0 et 2 000 mètres

Les cumulus

Leur base est en général plate et leur toit en forme de chou-fleur. Ils peuvent être tout petits (ce sont alors des nuages de beau temps) ou très grands (sous ceux-là, il peut pleuvoir, mais les averses ne durent pas longtemps). Les cumulus sont toujours nettement séparés les uns des autres.

© Bios

Les stratus

Ils forment une grande étendue de nuages gris et parfois tellement bas qu'ils touchent le sol (on les appelle alors « brouillard »). Il est difficile d'en distinguer la base. Il peut parfois pleuvoir ou neiger légèrement. Les stratus ne sont très sombres que lorsque d'autres nuages sont présents au-dessus d'eux.

© Ashley Gibbs / Cloud Appreciation Society

Les stratocumulus

Ils ressemblent à beaucoup de cumulus qu'on aurait grossis et rassemblés les uns près des autres sur une nappe invisible posée dans l'air. Ils peuvent parfois se toucher et cacher complètement le bleu du ciel. Il est possible qu'il pleuve ou qu'il neige un peu.

© Daniele Campinoti / Cloud Appreciation Society

Les nuages d'altitude moyenne : entre 2 000 et 5 000 mètres

Les altocumulus

Plus petits que les stratocumulus, plus grands et plus sombres que les cirrocumulus, les altocumulus annoncent souvent l'arrivée d'un orage mais ne donnent que rarement eux-mêmes de la pluie. Ils sont composés de gouttelettes d'eau et parfois de cristaux de glace, et forment des couches ou des amas blancs et gris dans le ciel.

© Bios

Les altostratus

Les altostratus sont l'équivalent des stratus mais, plus haut, ils forment en général une couche couvrant tout le ciel. On peut souvent voir le Soleil au travers. Ils apparaissent lorsqu'une énorme masse d'air chaud est soulevée par de l'air froid se glissant en dessous. Ils sont formés de gouttelettes d'eau et de cristaux de glace. Ils sont plus clairs que les nimbostratus et plus foncés que les cirrostratus. Les altostratus deviennent beaux lorsque le soleil est à l'horizon et les éclaire de rouge par-dessous. Ils peuvent se transformer en nimbostratus.

Les nimbostratus

Formant une couche étendue de nuages sans forme, gris sombre et épaisse de plusieurs kilomètres, les nimbostratus sont des nuages de pluie. Leur présence peut durer plusieurs jours et s'accompagne de mauvais temps.

Les nuages hauts : entre 5 000 et 14 000 mètres

Les cirrus

Les cirrus ressemblent à des cheveux d'ange : ils sont composés de cristaux de glace formant de longues mèches blanches transparentes. Ces cristaux tombent souvent vers le sol en formant des virgules sous les cirrus, mais ils ne l'atteignent jamais car ils s'évaporent bien avant. Lorsque les cirrus s'étalent et que d'autres petits nuages apparaissent, cela signifie qu'il va probablement pleuvoir dans les 24 heures.

© Bios

Les cirrocumulus

Petites pelotes flottant dans les hauteurs, les cirrocumulus ne restent jamais très longtemps. Ils sont toujours blancs, même en dessous, car ils ne sont pas assez épais pour faire de l'ombre. Ils sont formés de cristaux de glace. Quand beaucoup apparaissent et s'épaississent, c'est en général le signe qu'un orage approche.

© Bios

Les cirrostratus

Très haut dans le ciel, des nappes de nuages transparents et très fins apparaissent parfois et couvrent une surface très étendue. Ce sont les cirrostratus. Ils sont composés de cristaux de glace, et lorsque le Soleil ou la Lune brille au travers, il est fréquent de voir des halos comme celui observable sur cette photo.

Les cumulonimbus

Les cumulonimbus sont les plus grands des nuages. Ils peuvent faire plus de 10 kilomètres de haut. Ils créent la foudre, provoquent des pluies parfois torrentielles et peuvent marteler le sol de grêle. Ils montent tellement haut dans le ciel que leur sommet, fait de cristaux de glace, peut atteindre l'altitude à partir de laquelle la température de l'air se réchauffe (c'est le début de la tropopause). Lorsqu'ils y arrivent, leur sommet s'étale sur les côtés et leur donne une forme d'enclume.

Pluie sous un petit cumulonimbus.

Cumulonimbus arrivé à maturité, avec son sommet en forme d'enclume.

Le vieil homme était calme cette fois-ci. Il avait juste l'air fragile et perdu, comme si sa mémoire lui jouait des tours et qu'il cherchait dans ses souvenirs un sens à ce que Tristam disait.

— Je parle du maire de cette ville pourrie !

Le vieil homme fronça les sourcils.

— Pourquoi êtes-vous ici ? demanda-t-il, le regard luisant étrangement.

Aussitôt, il leva les mains, paumes ouvertes, pour montrer que les deux amis n'étaient pas obligés de répondre. Puis il fixa le plafond en inclinant la tête sur le côté, comme s'il essayait d'entendre quelque chose de nouveau, ou comme si son esprit était sur le point de basculer dans la folie.

— Moondy joue-t-il encore ? demanda-t-il.

Tristam et Tom firent non de la tête.

— Bientôt, je ne l'entendrai plus.

— Ah bon ? fit timidement Tristam.

— Oui. Mon ouïe baisse. Et mon esprit n'est plus très fiable, je le crains. Mais je le mérite, ajouta-t-il. Oui, je mérite d'être ici.

— Pourquoi ? voulut savoir Tristam. Qu'avez-vous fait ?

Tom lui donna un coup de coude en chuchotant : « La ferme, imbécile ! Il va encore s'énerver ! »

Mais le vieil homme ne le prit pas mal ; il avait manifestement envie de parler. Les épaules affaissées, les yeux fatigués et humides, il murmura :

— Je ne sais plus si ce sont mes souvenirs à moi ou des histoires que l'on m'a racontées. Mais je crois que j'ai abandonné tout le monde.

Il leva ses paumes réunies en coupe.

– Quand on pleure, continua-t-il, on voit des étoiles, même le jour, même ici. Elles sont superbes, vous savez. Oui, elles sont magnifiques. Et elles tiennent dans mes deux mains ! Regardez ! Il y en a tellement ! Comme au-dessus du Village Blanc.

Tom et Tristam sautèrent sur leurs pieds.

– Vous connaissez le Village Blanc ? s'exclamèrent-ils en chœur.

L'air perdu, le vieillard les dévisagea. Si ces deux-là mettaient en doute sa parole, alors que lui-même avait du mal à suivre le fil de ses pensées, la conversation ne durerait pas longtemps…

– Nous ne sommes pas d'ici, expliqua Tristam. Nous cherchons le Village Blanc. Vous savez où il se trouve ?

– A-t-il disparu ? demanda le vieillard avant de répondre tout seul : Ah oui ! Il a disparu. J'avais oublié ! Le Village Blanc n'existe plus. Terminé.

Il poursuivit, les yeux rivés sur ses mains, comme s'il racontait une histoire aux étoiles qu'il voyait briller dans ses paumes, à travers ses larmes :

– C'était un endroit charmant. Oui, charmant. Un petit village paisible, près de la frontière du royaume des Nuages du Centre. Il y avait beaucoup d'étoiles dans le ciel. Mais il a été détruit, comme la Terre.

Il se gratta la tête et sembla se rappeler quelque chose d'important.

– C'est la faute du Tyran. Ou plutôt des émeutes. Oui, c'est ça, je me souviens… Le roi du Nord a perdu la bataille… Ouh ! C'était il y a longtemps… Alors, il a changé de tactique. Il est malin ! Il a organisé une rébellion dans le pays du

Tyran. Ho ho ! Il était furieux, le Tyran ! Bien fait pour lui.
Mais des gens richissimes sont arrivés chez nous ; ils fuyaient
tous le Royaume du Centre ; ils avaient peur du désordre et
des combats. Ils avaient peur pour leur famille. Pour leur vie
aussi, c'est vrai, mais surtout pour leur fortune. Ah ça ! Hé
hé ! Leurs biens, ils y tiennent, ces lâches ! Ils sont arrivés un
jour : pouf ! comme ça, et le village s'est retrouvé submergé…
Ils l'ont transformé en une cité pour eux, pour les riches. Le
Village Blanc a disparu. Il est devenu la Cité Blanche.

— Il y a eu une rébellion contre le Tyran ? souffla Tom.
Vous en êtes sûr ?

Le vieil homme ouvrit grands les yeux et fixa le garçon.

— Mais bien entendu ! Voyons ! Vous venez d'où ? Vous
croyez que le roi des Nuages du Nord allait se laisser faire ?
Oh ! Malgré son petit royaume, ce n'était pas du tout le genre
d'homme à baisser les bras. Même en prison il se battait !
Après la Grande Défaite, il s'est démené tant qu'il a pu.
Quel héros ! Seulement voilà, il a disparu, et les combats…
piou !… terminés, finis… C'est là que le Tyran s'est tourné
vers la Cité Blanche : il voulait récupérer ses riches. Il a
envoyé les Blizzards pour intimider le vieux maire. Le Tyran
exigeait de l'argent, beaucoup d'argent, et une soumission
totale. Mais le vieux maire a refusé, oui ! Il a refusé ! Il a
désobéi au despote, le brave homme !

— Et qu'est-ce qui s'est passé ensuite ? demanda Tristam,
les yeux écarquillés.

— Mais tu n'es au courant de rien, toi ! s'exclama le
vieillard.

— Les riches n'ont pas apprécié ? suggéra Tom
timidement.

— Bien sûr que non ! Ils n'ont pas apprécié du tout. Ils étaient tous prêts à renoncer à leur liberté pour acheter leur sécurité, les imbéciles… Et ils se sont mis à chanter les louanges du Tyran. Vive le roi, qu'ils disaient. Vive le roi ! Ils ne se sont pas opposés aux forteresses volantes, ni aux patrouilles aériennes. Ils avaient des yeux, mais ne voyaient rien du tout ! Des imbéciles… tous, jusqu'au dernier.

Le vieil homme se leva, de nouveau très excité. Les deux amis reculèrent, apeurés.

— Des imbéciles…, répéta le vieillard en tournant en rond. Ils ont remplacé le vieux maire et l'ont enfermé. Ils ont chassé les anciens habitants du village et les ont parqués derrière la montagne en leur interdisant de planter du riz. Ils les obligent à travailler dans leurs rizières à eux. Des esclavagistes, je vous dis !

— Qu'est devenu l'ancien maire ? voulut savoir Tristam.

— Il est très vieux, le pauvre homme. Et puis, il est triste, très triste. Il n'a pas su protéger son peuple.

Le vieillard s'interrompit une seconde, et son visage s'illumina de la sagesse d'un homme qui a passé sa vie à penser aux autres.

— Quand un roi, un maire ou un général gouverne par la peur, ajouta-t-il, il est soit corrompu, soit fou. Toujours. Le vieux maire le savait. Seulement, il n'a pas réussi à protéger les nouveaux arrivants contre la peur. Il a échoué. Il mérite son destin. Il n'a plus beaucoup de joies, il lui reste juste son petit-fils et sa flûte. Il aime beaucoup l'écouter jouer du fond de son cachot.

Tom et Tristam se tournèrent l'un vers l'autre, puis ils fixèrent le vieillard.

— Il est emprisonné ici ? demanda Tristam.

— C'est vous ? fit Tom. Vous étiez le maire de cette cité ?

— Je crois bien que oui. Mais je suis ici depuis si longtemps… Je n'en suis plus trop sûr.

— Connaissez-vous Yage Heather ? enchaîna Tom.

— Yage… Oui, elle est maligne : elle a réussi à cacher sa véritable identité. Mais elle doit quand même obéir un peu… Faire semblant… Et elle laisse jouer mon Moondy ! C'est elle qui est maire aujourd'hui.

— Quoi ? s'écrièrent les deux amis. Impossible !

Le vieillard s'allongea sur sa planche et tira sur lui sa couverture miteuse. Tom et Tristam essayèrent de lui poser d'autres questions, en vain : le pauvre homme n'avait plus la force de parler. Il finit par s'endormir. Peut-être entendait-il son petit-fils jouer de la flûte dans ses rêves.

— Tu crois que c'est vrai ? chuchota Tristam.

— Pourquoi pas ? Elle avait l'air vraiment pas d'accord avec le Blizzard !

— Elle n'était pas obligée de nous mettre en prison !

— Peut-être qu'elle n'avait pas le choix, peut-être que…

— Attends ! Chut…, l'interrompit Tristam. Écoute…

Des bruits de pas à moitié étouffés s'approchaient de la cellule. Les verrous de la porte grincèrent, la porte s'ouvrit. Deux policiers entrèrent.

— Vous deux, levez-vous, chuchota l'un d'eux en s'adressant à Tristam et à Tom.

— On est libres ? s'écria Tom.

— C'est pas trop tôt ! ajouta Tristam.

Le policier posa un doigt sur ses lèvres.

— Suivez-nous sans faire de bruit, fit l'autre en leur passant des menottes aux poignets.

— Pour aller où ? demanda Tristam.

— Madame le maire veut vous voir.

Endormi, le vieil homme ne vit pas ses compagnons d'infortune quitter la cellule.

Chapitre 8

Dehors, les cheminées crachaient une fumée épaisse dans l'air frais et humide du petit matin. À tous les carrefours du centre-ville, on voyait les hommes du Blizzard. Ils ressemblaient plus à une force d'occupation qu'à des policiers chargés de veiller sur la sécurité des gens.

Menottés, Tristam et Tom suivaient les deux agents à travers les ruelles de la Cité Blanche. « Le Blizzard va prendre le contrôle de la prison dans quelques heures, leur avait expliqué l'un d'eux. Madame le maire nous a envoyés vous sortir de là avant. Nous vous emmenons vers une cachette. Faites comme si vous étiez prisonniers. Et taisez-vous. »

Suite aux incidents survenus dans le hall de la cour de justice, certains commerçants avaient cloué des planches en bois sur leurs devantures. Tristam et Tom regardaient avec curiosité celles qui n'étaient pas protégées. Ici et là, de petits spots faisaient briller des pierres précieuses autour du cou de mannequins vêtus de soie et de cachemire. Ailleurs, des cheminées ultramodernes étaient alignées dans des salles éclairées ; des agences de voyages vendaient des promesses de somptueux couchers de soleil.

Un magasin attira particulièrement l'attention de Tristam. Des motos volantes étaient disposées dans un hangar ouvert. Les carrosseries flambant neuves luisaient comme des miroirs. Il s'arrêta, fasciné, mais ne put les admirer longtemps : un des policiers l'attrapa et le poussa sans ménagement.

Arrivés à un poste de contrôle, les policiers, au garde-à-vous, tendirent des papiers au soldat qui y montait la garde. Celui-ci les vérifia avec méfiance avant de dévisager Tom, puis Tristam.

— Où les emmenez-vous ?

— Travaux forcés, répondit l'un des agents.

Le vigile jeta un regard de dégoût vers les deux prisonniers et les autorisa à pénétrer dans la zone résidentielle.

Les citoyens dormaient encore dans leurs somptueuses villas de plusieurs étages, entourées de grands arbres, de pelouses impeccables et de parterres de fleurs. Ces jardins étaient bien plus impressionnants que celui de Myrtille sur le Blueberry ; pourtant, Tom les regardait à peine. Il était intrigué par des trous percés dans le sol, d'où s'échappaient des bouffées de vapeur qui se dissipaient à quelques mètres de hauteur.

— Il va falloir marcher un peu, chuchota un policier en indiquant de la tête une patrouille militaire. Faut être sûrs qu'on ne nous suit pas.

Ils continuèrent pendant un bon moment avant d'arriver au pied d'un des sept nuages en forme de montagne qui entouraient la cité. De vastes rizières en terrasse recouvraient ses flancs. Çà et là, on apercevait des chemins menant à des groupes de maisons sur pilotis, perchées sur les pentes de la montagne blanche.

Ils grimpèrent des sentiers au sol mou et humide, en descendirent d'autres, traversèrent des rizières et des villages avant que les gardiens ne jugent qu'ils étaient hors de danger.

Ils se dirigèrent alors vers un hameau bâti au sommet d'une des collines qui surplombaient la cité. L'escorte s'arrêta devant la maison la plus laide de toutes, une vraie ruine d'un étage, la seule qui n'avait pas de pilotis. Elle possédait une petite terrasse, et son rez-de-chaussée s'enfonçait un peu dans le nuage.

— Entrez, ordonna un des policiers.

L'intérieur était encore pire que la façade. Le bas des murs était pourri ; le sol recouvert d'algues faisait « chcouic » sous leurs chaussures. Mis à part une échelle posée contre un mur à l'autre bout de la pièce, l'endroit était vide. Une trappe dans le plafond permettait d'accéder à l'étage.

— Beurk ! s'exclama Tom. Qu'est-ce que c'est que cet endroit ?

— Chut ! fit l'un des agents, pendant que l'autre vérifiait par les fenêtres d'une saleté repoussante si personne ne les avait vus entrer.

— C'est bon, déclara-t-il. On est tranquilles.

Tristam et Tom le virent s'agenouiller dans la pourriture et nettoyer le sol à mains nues. Il promena le doigt sur le contour d'un carré gravé dans le plancher, caché par les moisissures, et finit par trouver une poignée. Il tira dessus, puis se pencha, éclairant l'ouverture avec une torche. Apparemment satisfait, il referma la trappe, la recouvrit d'algues et se dirigea vers l'échelle.

— Suivez-moi ! ordonna-t-il.

Les deux amis esquissèrent un pas en arrière.

— Hé ! On n'est pas des crapauds ! protesta Tristam. On ne va pas rester ici !

— Je préfère encore retourner en prison, enchaîna Tom.

— Qu'y a-t-il en bas ? lâcha Tristam, les sourcils froncés.

— C'est un raccourci vers le Nouveau Village, répondit le policier, retourné près de la fenêtre. Madame le maire veut qu'on vous emmène là-bas, mais pas avant demain.

— Pourquoi on n'y va pas par l'extérieur ? demanda Tom.

— Les gens du coin vous repéreraient aussitôt et vendraient l'information au Blizzard, comme le jour où vous avez été amenés à l'hôpital.

— Le maire…, commença Tristam. Comment s'appelle cette dame ?

— Mme Heather, répondit le policier en grimpant à l'étage. Elle a laissé un livre pour vous là-haut.

Une étincelle s'alluma dans le regard de Tom, qui se précipita vers l'échelle.

La petite pièce du haut était propre. Trois vieux matelas étaient étalés sur le sol ; dans un coin, des sacs remplis de riz avaient été entassés près d'un cuiseur électrique, des bouteilles d'eau et une pile de vêtements. Il y avait aussi assez de nourriture pour tenir un mois.

Une petite lucarne donnait sur la ruelle ; une porte coulissante permettait d'accéder à la terrasse. Une fois tout le monde en haut, les gardes tirèrent l'échelle à eux et ôtèrent les menottes aux garçons.

Après avoir enfilé des vêtements plus discrets, Tristam s'approcha de la petite fenêtre. Le verre dépoli déformait le paysage, mais la vue était quand même impressionnante. Soutenue par plusieurs usines à vent cachées quelque part sous sa surface, la Cité Blanche s'étendait à perte de vue. Tristam tira sur la porte pour sortir sur la terrasse.

— N'y pense même pas ! gronda un policier sans le regarder. Tu t'assois et tu ne bouges pas jusqu'à ce qu'on te dise le contraire, compris ?

Installés près de la trappe, les deux hommes s'apprêtaient à jouer aux cartes. En face d'eux, le dos contre les sacs de riz, Tom s'était plongé dans la lecture du livre que le maire avait laissé pour lui. Il ne s'intéressait plus à rien.

— Tu lis quoi ? demanda Tristam en s'approchant de son ami.

— Je lis, répondit Tom en lui tournant le dos.

— C'est ton livre ?

— Mmmm.

— Il faut qu'on réfléchisse ! Comment on va faire pour retrouver ma mère et Myrtille, et tes parents ?

— Mmmmm.

— Qu'est-ce qu'on lui dit, à Yage Heather ?

— Mmmmm.

Tristam regarda les policiers.

— Il n'y avait que le livre ? leur demanda-t-il en pensant au petit paquet de sa mère. Il n'y avait pas une petite boîte avec ?

— On te l'aurait dit s'il y en avait eu une.

Sans quitter ses cartes des yeux, le deuxième policier ajouta :

— Tu ne veux pas te taire un peu ?

L'atmosphère terrestre

La Terre est la troisième planète en partant du Soleil. Elle a la forme d'une boule légèrement aplatie aux pôles. Son diamètre moyen est de 12 742 km.

La surface de la Terre est enveloppée d'une fine couche de gaz qu'on appelle l'atmosphère.

99,9 % de la masse de notre atmosphère est contenue dans une couche de 50 km d'épaisseur à compter de la surface de la Terre.

L'atmosphère :
- absorbe les rayons mortels émis par le Soleil ou provenant de l'espace ;
- maintient la température moyenne à la surface du globe à 15 °C ;
- détruit les petits météores avant qu'ils ne s'écrasent au sol (un météore suffisamment gros pour arriver jusqu'au sol s'appelle une météorite).

Sans eau liquide et sans protection contre les rayons provenant de l'espace, la vie telle que nous la connaissons ne serait pas possible sur Terre.

Une fois séchée (c'est-à-dire après avoir enlevé l'eau), notre atmosphère contient :
- 78,084 % d'azote ;
- 20,946 % d'oxygène ;
- 0,930 % d'argon ;
- 0,036 % de dioxyde de carbone ;
- 0,002 % d'autres gaz.

La quasi-totalité de la vapeur d'eau de notre atmosphère est contenue dans sa couche la plus basse, qu'on appelle la troposphère. C'est là que se forment les nuages.

Chapitre 9

La nuit était tombée ; il n'y avait pas un bruit. Tristam somnolait. Près de lui, son livre ouvert sur le ventre, Tom rêvait de son destin.

Au fond de la pièce, allongé sur un matelas, un des policiers ronflait. L'autre était assis sur l'échelle, près de la trappe. Il était censé surveiller les deux enfants, mais lui aussi s'était endormi.

Des images du Blueberry fusaient dans la tête de Tristam.

Il voyait sa maison, à l'écart du village, paisible au milieu des champs de riz. Puis le nuage autour rétrécissait, doucement, inexorablement. Épi après épi, il vit les champs basculer dans le vide.

Là, son rêve devenait cauchemar : les maisons du Blueberry s'écroulaient les unes après les autres : Tristam vit sa mère courir avec Myrtille à travers le village à la recherche d'un abri qui n'existait pas. À un moment, sa mère leva les yeux vers lui, comme si elle pouvait le voir, et en montrant Myrtille du doigt, elle murmura : « Sauve-la ! »

Soudain, sa maison traversa le nuage et s'écrasa sur l'île en contrebas.

En nage, le souffle court, Tristam se redressa brusquement sur son matelas. L'air était pesant, il étouffait, la tête lui tournait ; il ne comprit pas tout de suite où il était.

Son rêve lui avait fait entrevoir une possibilité terrible : et si sa mère ne s'en était pas sortie ?

Constatant que Tom et les deux policiers dormaient à poings fermés, il se leva sur la pointe des pieds, fit coulisser la porte donnant sur la terrasse et s'y faufila.

Les lumières de la cité ne permettaient pas d'apercevoir les étoiles. Une brume épaisse, probablement alimentée par la fumée des cheminées, flottait au-dessus des toits. Tristam n'arrivait pas à se calmer. De la sueur froide perlait sur son front. « Myrtille, maman, pensa-t-il, où que vous soyez, je vous sauverai. »

Sans réfléchir, il referma doucement la porte et se fit glisser au bas du mur de la petite maison. Il n'y avait pas âme qui vive aux alentours : il sentit son esprit s'apaiser. Il était libre.

Caché par l'obscurité, il se mit à descendre vers la cité. Des soldats patrouillaient dans les ruelles du hameau, mais comme ils portaient des lanternes, Tristam les apercevait de loin et avait le temps de se cacher.

Il reconnut les maisons devant lesquelles il était passé à l'aller. Mais plus il avançait, plus les soldats se faisaient nombreux. « Impossible de gagner le centre-ville sans se faire remarquer », pensa-t-il.

Il aperçut une colline sur sa droite, où on ne voyait pas de lumières de patrouille. Il se faufila à l'ombre des maisons et, quelques minutes plus tard, il atteignait ses pentes.

Une fois en haut, Tristam comprit pourquoi personne n'habitait là. Un des flancs, celui qui faisait dos à la cité, était une falaise, tombant à pic sur une zone résidentielle. Tristam s'assit à quelques mètres du bord pour regarder les milliers de réverbères de la ville. Sa course et l'air frais du soir l'avaient calmé.

Au-dessus des montagnes blanches, le ciel était clair, mais la lumière des astres ne parvenait pas à transpercer la couche d'air pollué qui flottait sur la cité. Seules les étoiles les plus brillantes étaient visibles ; Tristam se rappela les paroles du vieillard de la prison : « Avant, il y avait beaucoup d'étoiles dans le ciel. »

Tristam imagina un monde dans lequel on ne pourrait plus admirer les étoiles. « Ça ne devrait pas arriver ! » se dit-il, et il se jura de tout faire pour que cela n'arrive pas. Tendu, il se releva et s'avança de quelques pas vers le précipice.

— Tom et moi, on va retrouver Myrtille ! hurla-t-il aux citadins qui dormaient dans leurs maisons. On va s'occuper du Tyran, et on va vous montrer les étoiles !

À cet instant, un bout de disque orange apparut au-dessus de la montagne blanche qui lui faisait face. La lune se levait. Elle était presque pleine, et ce spectacle fit chaud au cœur de Tristam. Il s'assit, émerveillé, et la regarda changer de couleur alors qu'elle montait dans le ciel.

Les paroles de sa mère lui revinrent en mémoire : « Il faut beaucoup de courage et d'audace pour faire avancer le monde. »

Soudain, alors qu'il essayait de se donner du courage, il entraperçut une ombre fugitive dans une des rues.

Il se demandait s'il n'avait pas rêvé quand elle ressurgit un peu plus loin.

Quelqu'un courait.

Quelqu'un qui portait un grand sac à dos et n'avait pas de lanterne.

« Ce n'est pas un soldat », pensa Tristam, intrigué.

Chapitre 10

Tristam suivit la silhouette des yeux. Elle se dirigeait droit sur les soldats. « Jamais il n'arrivera à passer ! » s'inquiéta-t-il.

Mais, au lieu de prendre les rues, le mystérieux personnage grimpa sur un mur et sauta de toit en toit tel un chat noir se faufilant dans la nuit et, quelques minutes plus tard, il était parvenu dans le centre-ville sans se faire repérer.

Tristam sourit, impressionné.

Quand l'inconnu eut disparu derrière les lumières des bâtiments officiels, Tristam scruta les toits et les avenues pour le voir réapparaître. En vain.

« Où est-ce qu'il est passé ? » marmonna-t-il tandis qu'une mélodie s'éleva de la cité et sembla dissiper la brume de pollution.

– C'est Moondy ! Le flûtiste ! J'espère que son grand-père l'entend…

Tristam essaya de localiser la source musicale, mais hélas, le bruit perçant des sifflets des soldats déchira l'air, et la mélodie cessa. Les soldats se mirent à courir de tous les côtés, encerclant le centre-ville avec leurs patrouilles menaçantes.

Lorsque le flûtiste réapparut, bondissant de toit en toit, Tristam ne fut pas le seul à l'apercevoir : des dizaines de soldats couraient en hurlant au pied des maisons, prêts à lui sauter dessus dès qu'il mettrait un pied à terre. Du haut de sa colline, Tristam sentit les battements de son cœur s'accélérer comme si c'était lui que les militaires poursuivaient.

Arrivé à la limite du centre-ville, Moondy se glissa à terre au nez et à la barbe des militaires et détala comme un lièvre. Il était plus rapide qu'eux, mais ils étaient trop nombreux, et d'autres encore affluaient de toutes parts ! Moondy allait bientôt se retrouver encerclé ! Comme mû par l'instinct, il se dirigeait droit vers le seul endroit où il n'y avait pas de soldats : la colline d'où Tristam l'observait.

Apeuré, Tristam jeta un coup d'œil autour de lui : aucun endroit où se cacher ! Le malheureux fuyard avait choisi la mauvaise colline ! Et le flûtiste grimpait la pente à toute allure ! Plus qu'une cinquantaine de mètres, et il serait près de Tristam. Derrière lui, les soldats armèrent leurs arbalètes sans cesser de courir.

— ATTENTION ! hurla Tristam. ILS VONT TIRER !

— Qui es-tu ? cria Moondy.

— Un ami du maire !

— Qu'est-ce que tu fiches ici ? Tu as une aile ?

— Une quoi ?

— On ne bouge plus ! ordonna à cet instant l'un des poursuivants alors que les autres mettaient les deux garçons en joue.

Sans un mot de plus, Moondy fonça sur Tristam, l'agrippa et sauta avec lui du bord de la falaise.

— Nooooooon ! cria Tristam en tombant dans le vide.

— Tirez à volonté !

Les flèches sifflèrent autour d'eux.

— Tiens-toi à moi ! cria Moondy.

Le flûtiste pivota pour se mettre la tête en bas, comme s'il avait décidé de faire un plongeon.

— On va s'écraser ! hurla Tristam.

Moondy tira sur deux ficelles qui pendaient de son sac. Une aile se déplia sur son dos. Le vent s'y engouffra et les retint dans leur chute.

Le temps que Tristam comprenne ce qui se passait, l'aile glissait dans l'air frais de la nuit, au-dessus des maisons de banlieue, hors de portée des flèches.

Ils finirent par se poser au milieu d'une rue de faubourg, loin de la colline d'où ils étaient partis.

— Ne reste pas planté là ! chuchota Moondy en pliant son aile. Rentre chez toi. Ils vont nous chercher partout.

Mais Tristam n'avait pas l'intention de le laisser filer. Malgré une cicatrice sur la joue droite, ce garçon blond, aux yeux foncés, ne paraissait pas beaucoup plus vieux que lui.

— Tu peux m'apprendre à voler ? demanda-t-il, un grand sourire aux lèvres.

— Va-t'en ! lui cria Moondy. J'ai failli me faire tuer par ta faute !

— Ça va pas ? C'est toi qui as failli me tuer !

Moondy rangea l'aile dans son gros sac, qu'il jeta sur son épaule.

— Tu sais retourner dans ta planque ? demanda-t-il.

Tristam scruta les collines avoisinantes et ne reconnut rien. Il était perdu ; il ne voulait cependant pas le dire à Moondy, qui paraissait si sûr de lui.

– Je dirais que c'est par là-bas…, marmonna-t-il en désignant une direction au hasard. Mais… attends une seconde ! Qu'est-ce qui te dit que je suis dans une planque ?

– Je sais qui tu es, répliqua Moondy. Mme Heather nous a parlé de toi et de ton ami. Tu ne devrais pas traîner dans les rues ! Il y a des gens qui risquent leur vie pour vous !

– Qui risquent leur vie ? s'étonna Tristam. Pourquoi ?

Moondy lui lança un regard étrange.

– Je ne sais pas, répondit-il au bout de quelques instants. Et puis, ce ne sont pas mes affaires. Tu sais courir sans te faire remarquer ?

– J'ai fait ça toute ma vie.

– Alors, suis-moi, je te raccompagne. Si tu vas vers l'endroit que tu m'as montré, tu n'es pas près d'arriver.

Ils longèrent des rues, puis montèrent sur les toits et sautèrent de maison en maison, se cachant derrière les cheminées. Une fois de nouveau au sol, ils se faufilèrent dans des passages insoupçonnables que Moondy connaissait par cœur. Tristam faisait de son mieux pour ne pas le faire attendre, mais le flûtiste devait quand même ralentir, sinon il l'aurait semé.

Vingt minutes plus tard, Moondy s'arrêta au pied d'une colline et tira Tristam vers lui, à l'ombre d'un mur. Les rizières commençaient à quelques mètres de là.

– Ta planque est là-haut. Tu reconnais maintenant ?

Tristam leva les yeux vers le hameau qui se découpait sur la masse grise des nuages.

– Oui, fit-il en apercevant la seule maison sans pilotis. Merci.

– Tu t'appelles Tristam ou Tom ?

– Tristam.

Il se demandait s'il fallait apprendre à Moondy qu'il avait rencontré son grand-père et que le vieil homme n'allait pas très bien.

Un silence gênant s'installa entre eux ; finalement, Tristam décida qu'il valait mieux dire les choses tant qu'il était temps.

– Tu sais…, fit-il en se retournant.

Mais Moondy avait déjà disparu.

Tristam haussa les épaules et se mit à gravir la colline. Il grimpa sur la terrasse et se glissa dans la maison. Tom et les policiers dormaient profondément. Il s'allongea près de son ami.

« Ça fait deux fois que je vole sans savoir comment on fait, pensa-t-il en s'endormant. Il faut que j'apprenne, pour la prochaine fois. »

Chapitre 11

Le lendemain matin, dès que les deux garçons se furent réveillés, leurs gardes leur ordonnèrent de se faufiler à travers la trappe dans le sol moisi de la maison.

Par chance, le tunnel sous-terrain dans lequel ils s'engagèrent en file indienne était propre.

– C'est encore loin ? demanda Tristam au bout de dix mètres.

– Chut ! lança un garde. Pas un mot !

Ils avancèrent en silence à la lumière tremblotante des torches.

Petit à petit, un bourdonnement étrange s'éleva autour d'eux ; bientôt, il recouvrit le bruit de leurs pas. On aurait dit qu'un nombre incalculable de gouttes frappait les parois extérieures du tunnel. Cette mélodie lancinante, qui semblait contenir tous les rythmes du monde, superposés, sans qu'un d'entre eux prenne le dessus sur les autres, agissait sur Tristam comme un puissant somnifère sonore. Il dut lutter ferme pour ne pas s'allonger par terre et continuer sa nuit.

– C'est la pluie, annonça le policier qui ouvrait la marche. Surprenant, hein ? Il va falloir vous y faire : nous avons un nuage qui produit de la pluie ! Eh oui ! C'est la classe. Notre ancien maire en était très fier. « Comme ça, les plantes poussent dessous », qu'il répétait. Et dire que le Blizzard veut y mettre fin...

Se souvenant des paroles de l'ancien maire, Tom demanda aux policiers des précisions sur les forteresses volantes et les patrouilles de l'air.

— Des saloperies, je te dis, répondit l'homme. Le Tyran doit être furax parce que les travaux de construction de la forteresse à l'est de la Cité Blanche se sont interrompus il y a quelques mois. Pareil pour les patrouilles de l'air... On en voit beaucoup moins qu'avant, va savoir pourquoi !

— Rob, si tu veux mon avis, enchaîna celui qui fermait la marche, le Tyran n'a pas peur de nous. Il sait que son Blizzard n'aura aucun scrupule à nous détruire si ça chauffe. Il est même capable de créer une fausse rébellion, rien que pour le plaisir de taper sur les gens. Ce type me fiche les jetons, vraiment !

— M'en parle pas ! poursuivit le premier. Il paraît que c'est lui qui a organisé le lancer de couteau dans la cour de justice. Il en a profité pour déployer ses forces dans la ville.

— Oui, on me l'a dit. Si ses sbires sont aussi mauvais, imagine à quoi ressemble le Tyran ! Tu vas voir, on finira bientôt par l'appeler « roi », comme tout le monde. Aucun doute qu'il va gagner au final... D'ailleurs, c'est presque fait.

— Il reste des rebelles, quand même, faut pas l'oublier.

— C'est vrai, c'est vrai. Seulement, on n'est pas bien nombreux...

Pas rassuré du tout, Tom ne posa pas d'autres questions. Il se mit à penser aux sévices que le Tyran devait être en train de faire subir à ses parents, à Myrtille et aux villageois capturés. Il se demandait si les rebelles auxquels appartenaient les deux gardes étaient suffisamment nombreux pour sauver tout le monde et faire tomber le despote. Il observait Rob, le grand policier maigre qui le précédait dans l'étroit passage. Il marchait d'un pas décidé, et Tom trouvait qu'il avait l'air de savoir ce qu'il voulait.

Un quart d'heure plus tard, ils franchirent une porte et débouchèrent dans une cave. Tristam, toujours à moitié endormi, suivit Tom et les policiers à l'extérieur de la maison où ils avaient abouti.

Ils étaient dans la partie haute d'une bourgade construite sur le flanc de la montagne blanche qu'ils venaient de traverser. Malheureusement, le village était plus petit encore que le Blueberry. « Ce n'est pas ici qu'on va trouver une armée », pensa Tom, un peu déçu.

Par-delà les toits des maisons, on apercevait la partie est de la plaine que Tristam et Tom avaient survolée avant de s'écraser. Au loin, de gigantesques nuages glissaient dans le ciel, poussés par des vents à peine perceptibles dans le village. Dans quelques instants, le soleil allait dépasser leurs sommets cotonneux et inonder le Nouveau Village.

« Drôle d'endroit ! » songea Tom. Il n'y avait ni jardins, ni constructions à plusieurs étages, ni cheminées ; juste de minuscules chalets surplombés de petites éoliennes, comme les maisons du Blueberry.

Des hommes et des femmes sortaient de chez eux et s'engageaient sur les sentiers qui contournaient la montagne blanche. Selon les dires de Denis, le deuxième policier, ils se rendaient dans les rizières et les usines à vent, où ils travailleraient jusqu'au soir pour les résidents de la Cité Blanche.

Les deux garçons et leur escorte descendirent la rue principale de la bourgade et s'arrêtèrent devant la dernière maison ; au-delà s'étendait la plaine blanche. Parmi les policiers qui les y attendaient, Tristam reconnut à sa grande surprise Moondy, assis sur le perron. Ravi de le revoir, il fit pourtant mine de ne pas le reconnaître, au cas où. Moondy lui parla comme s'ils ne s'étaient jamais vus.

— Toi, lui ordonna-t-il, entre. Toi, dit-il en désignant Tom, tu restes ici.

Tristam et Tom échangèrent un regard, et Tristam disparut à l'intérieur de la petite maison. Au même moment, le soleil perça les nuages.

Tom s'assit sur le pas de la porte, à côté de Moondy, qui observait le ciel. Une étoile filante traversa la voûte céleste.

— Encore un mauvais présage ! soupira le flûtiste.

— Ce phénomène n'a rien à voir avec un présage, rectifia Tom. C'est un caillou, provenant peut-être de la queue d'une comète, qui est entré dans l'atmosphère et s'est consumé. On en voit surtout la nuit, alors qu'elles sont aussi nombreuses le jour. Seulement, à cause du soleil, on n'aperçoit que les plus grosses, c'est tout.

Moondy dévisagea Tom.

— Ça fait longtemps que je n'ai pas rencontré quelqu'un comme toi.

— Pardon ? fit Tom, qui ne savait pas s'il devait se sentir flatté ou vexé.

— Le Tyran ne veut pas qu'on se pose des questions sur les étoiles, notre planète, ou quoi que ce soit d'autre. Alors, on a rarement l'occasion d'entendre des gens comme toi, qui savent des choses.

— Ah bon ? s'étonna Tom. Mais pourquoi il ne veut pas que vous sachiez ces choses ?

— Si les gens sont instruits, il est beaucoup plus difficile de les tromper. Et le Tyran veut tous nous tromper. Il a bien réussi, d'ailleurs, il y a déjà plein de gens qui pensent qu'il agit pour leur bien et leur confort. Ils ne se rendent pas compte qu'il détruit la planète juste pour gagner du pouvoir.

— Moi, je m'en rends compte, affirma Tom. Et Tristam et moi, on va changer tout ça.

— Ha ! Elle est bien bonne celle-là ! rigola Moondy. Et vous avez l'intention de vous y prendre comment ?

Le Soleil

Âge : 4,6 milliards d'années.
Diamètre à l'équateur : 1,4 million de kilomètres
(110 fois le diamètre de la Terre).
Température à la surface : 5 500 °C.
Température au centre : 15 000 000 °C.
Pression au centre : 250 milliards de fois la pression
à la surface de la Terre.
Masse : 333 000 fois la masse de la Terre.
Distance Terre-Soleil : 149,6 millions de kilomètres.

Le Soleil est une étoile.

Une étoile est une boule de matière dont le cœur est tellement dense et chaud que les noyaux des atomes s'y trouvant ne peuvent pas faire autrement que se coller les uns aux autres : ils fusionnent. Cette réaction s'appelle la fusion nucléaire. Elle transforme les petits atomes en des atomes plus grands et libère énormément d'énergie, notamment sous forme de lumière.

Pour atteindre la surface du Soleil depuis son cœur, cette lumière doit traverser toutes les couches qui sont au-dessus d'elle.

La première couche s'appelle la zone radiative. La lumière met près d'un million d'années à la traverser.

Ensuite vient la zone convective, où d'énormes montées de plasma brûlant poussent la chaleur vers la surface, comme dans une casserole d'eau bouillante.

Enfin il y a la photosphère, la surface visible de notre étoile. De là partent vers l'espace la lumière et toutes les autres radiations qui sont parvenues à s'échapper du cœur du Soleil.

Une fois partie du Soleil, la lumière met environ 8 minutes et 30 secondes pour arriver sur Terre.

Chaque seconde, notre Soleil transforme 600 millions de tonnes d'atomes d'hydrogène en atomes d'hélium. Si elle était totalement récupérée, l'énergie libérée par le Soleil en une seconde suffirait à alimenter la Terre en énergie pendant des centaines de millions d'années.

Répartition du rayonnement solaire:
- lumière visible (toutes les couleurs, du violet au rouge): 50%;
- proche infrarouge (invisible): 40%;
- ultraviolet (invisible – très dangereux): 10%.

Le maximum d'émission lumineuse se situe aux alentours de la lumière jaune.

Les dangereux rayons ultraviolets sont absorbés par l'ozone qui est contenu dans notre atmosphère.

Chapitre 12

Tristam s'arrêta après avoir franchi le seuil de la maison. En face, un escalier menait à l'étage, et un autre, plus petit, donnait sur une porte verrouillée au sous-sol. À gauche, il y avait l'entrée de la cuisine ; à droite, une arche sans porte ouvrait sur un salon baigné par la lumière aveuglante du Soleil.

— Entre, Tristam Drake, lança une voix de femme.

Le garçon fit quelques pas vers le salon, puis s'immobilisa, hésitant : il ne savait pas ce qu'il devait dire. Yage Heather surgit devant lui.

— N'aie pas peur. Approche.

Tristam la dévisagea, surpris. C'était bien la femme qu'il avait vue à l'hôpital et au tribunal, et pourtant elle semblait différente, plus sûre d'elle. Dans ses yeux brillaient une détermination et une intelligence qui lui firent penser à sa mère.

Le salon était douillet et accueillant. Deux canapés entouraient une table basse recouverte de cartes géographiques et de croquis. Assis sur l'un d'eux, un homme à la peau très blanche fixait le vide. Il portait un uniforme blanc, comme les policiers dehors. Les cheveux foncés, mal rasé, il devait avoir une trentaine d'années. Son regard gris, fatigué et mélancolique, faisait planer dans la pièce une impression de tristesse.

— Voici le lieutenant Wahking. Il dirige la police de la Cité Blanche et est mon plus proche conseiller.

— Dirigeait, rectifia l'homme. Le Blizzard m'a viré.

Le maire lui lança un regard désapprobateur, puis sourit à Tristam.

— Ton ami et toi avez traversé bien des épreuves, continua-t-elle. Je regrette que vous soyez arrivés dans un tel état. Crois-moi, je me serais passée de votre séjour à l'hôpital, et des ragots qu'il a entraînés. Maintenant, essaie de te souvenir de tout, dans les moindres détails, et raconte-nous comment vous avez gagné la Cité Blanche.

Le lieutenant scrutait un rouleau posé sur la table devant lui. Il ne semblait pas du tout intéressé par ce que le nouveau venu avait à dire.

— Êtes-vous Yage Heather ? voulut s'assurer Tristam.

— Oui, c'est bien mon nom.

— Ma mère nous a demandé de vous retrouver et de vous remettre le paquet que vous avez pris dans la moto en forme de libellule.

Tristam se tourna vers le lieutenant, qui paraissait s'ennuyer ferme.

— Parle sans crainte, dit Yage Heather. Tu peux avoir confiance en lui.

Mais Tristam ne savait pas quoi dire de plus. En réalité, il s'était attendu que ce soit elle qui lui dise quoi faire...

Soudain, il se souvint de ce que sa mère lui avait demandé dans son rêve.

— Vous devez nous aider à sauver Myrtille.

— Myrtille ? répéta la femme, surprise.

— La fille du roi du Nord, poursuivit Tristam. Le Tyran l'a kidnappée. Il faut la retrouver et la sauver ! Ensuite, on va sauver ma mère.

Yage fronça les sourcils. Wahking sortit de sa léthargie.

— Comment sais-tu que Myrtille a été capturée ? demanda-t-il d'un ton circonspect.

— Parce qu'on était là ! s'écria Tristam, qui craignait que le lieutenant ne le croie pas. Quand Tom et moi nous sommes envolés, on a vu un Blizzard emmener Myrtille sur une libellule, et …

— Attends, attends ! le coupa Yage. Personne ne met en doute ta parole, mais raconte-nous tout depuis le début.

Alors, Tristam raconta tout, sans savoir ce qui était important et ce qui ne l'était pas. Les deux adultes l'écoutèrent sans l'interrompre.

— Vous croyez qu'ils vont faire du mal à ma mère, à Myrtille et aux autres ? demanda-t-il quand il eut fini son histoire.

— Pour ta mère et les villageois, je ne sais pas, répondit Yage Heather au bout d'un moment. Ils ont peut-être une chance de s'en sortir.

— Et Myrtille ?

L'ex-chef de la police interrogea la femme du regard. Celle-ci hocha la tête. Il déroula le rouleau qu'il tenait dans les mains et le tendit à Tristam.

— Nous avons reçu cela aujourd'hui, dit le maire. Nous en discutions avant ton arrivée.

Sur l'affiche était imprimé un portrait de Myrtille qu'un peintre talentueux et obéissant avait réussi à rendre inquiétant.

Sous le portrait, on lisait.

Sur ordre de Sa Majesté le roi,
Myrtille du Nord, héritière déchue des Nuages du Nord,
subira le supplice de la planche
en compagnie de quatre autres traîtres
le 12 mars à midi, sur la place principale de Scinty Town.
Longue vie au roi !

L'estomac de Tristam se noua.

— C'est quoi, le supplice de la planche ?

— Ils vont l'obliger à marcher, les yeux bandés, le long d'une planche au bord d'un nuage.

— Ce n'est pas trop grave, souffla Tristam, soulagé.

— Arrivée au bout de la planche, elle tombera dans le vide, ajouta le lieutenant.

— Quoi ?

— Ce supplice est d'une cruauté sans nom, lâcha l'homme, abattu. On tombe et on tombe, et on voit défiler son passé. Une longue chute vers une mort certaine. Un peu comme la vie elle-même, remarque...

Le maire le foudroya du regard.

— Vous allez arrêter immédiatement de dire n'importe quoi ! Nous sommes le 8 mars. Il nous reste quatre jours pour mettre sur pied un plan.

— Si seulement cela pouvait suffire..., soupira Wahking. Il faut une journée pour se rendre à Scinty Town, et au moins une autre sur place pour tout préparer. Si on envoie un commando, il doit partir demain au plus tard.

— Il en sera alors ainsi.

— À mon avis, ceux qui seraient assez fous pour accepter cette mission-suicide feraient mieux de se pendre tout de suite. C'est plus sûr.

— Moi, j'y vais, déclara Tristam, les poings fermés. Personne ne m'en empêchera !

— Ça, on verra, répliqua Yage. Quant à vous, lieutenant, je vous conseille de vous remuer les méninges parce que vous ferez partie du commando.

Elle se leva et s'adressa à Tristam :

— Ton paquet est là-bas, fit-elle en désignant le bureau sous la fenêtre ; garde-le précieusement. Ah, une dernière chose : ne vous avisez pas de sortir d'ici ! Je sais que tu t'es échappé la nuit dernière. Ne recommence pas ! Ta vie vaut plus cher que tu ne le crois.

Sur ce, elle quitta la maison. Tristam allait s'approcher du meuble quand le lieutenant l'arrêta d'un geste.

— Alors, comme ça, tu as côtoyé la fille du roi du Nord…

Tristam se retourna et hocha la tête. Le ton de l'ex-chef de la police était celui d'un interrogateur professionnel qui voulait s'assurer qu'un suspect ne mentait pas.

— Tu dois en savoir, des choses ! Je suis certain que tu n'es pas idiot.

Tristam voulut acquiescer de nouveau, mais comme le regard inquisiteur du lieutenant le mettait mal à l'aise, il n'osa pas mentir.

— Donc, le Blueberry était sous les ordres du fameux colonel Briggs. On parle bien de celui qui s'est battu aux côtés du roi du Nord pendant des années ?

Tristam fit oui de la tête en se disant que le lieutenant n'était pas un rapide : il venait de le lui raconter !

— Entre nous, cela n'a pas de sens, déclara le policier tout d'un coup, ses yeux foncés braqués sur Tristam. Je n'arrive pas à croire qu'il n'ait pas réussi à riposter ou à mettre la gamine à l'abri quelque part. Et toi ? Quel est ton avis ?

— Moi ? Je ne sais pas. Peut-être que le colonel n'avait pas prévu l'attaque.

— Oui, bien sûr, c'est une possibilité… Fort improbable, mais une possibilité quand même, fit Wahking avec une moue sceptique.

Tristam se tut, n'ayant pas de meilleure explication à lui fournir.

— En fait non, c'est impossible, reprit le policier, mais revenons à ton histoire. Tu dis que le fils du colonel et toi êtes parvenus à vous échapper ?

— Oui.

— Grâce à ta mère, qui parlait souvent au colonel ?

— Oui.

— Bon, fit Wahking au bout d'un moment, le visage impassible, tout cela est très étrange ! Mais nous devons penser à Myrtille, n'est-ce pas ?

Tristam eut un petit sursaut de surprise : il aurait juré que le lieutenant lui avait fait un clin d'œil.

— Ne t'attends pas à un miracle, continua l'ex-chef de la police en se levant, même si je suis assez doué pour organiser des missions désespérées, surtout si elles se déroulent dans ma ville natale.

La perspective de partir au combat contre un ennemi mille fois plus puissant que lui semblait l'avoir réveillé.

— Cette maison m'appartient, fit-il en se dirigeant vers la sortie. Fais comme chez toi. Je reviens bientôt.

Cependant, il ne partit pas tout de suite et se gratta longuement la tête. Apparemment, il avait encore quelque chose à dire. Tristam ne bougea pas d'un pouce, s'attendant à entendre une annonce de première importance.

— Je retire ce que j'ai dit. Tu n'es pas chez toi ici, tu es chez moi. Alors, ne touche à rien.

Dès qu'il eut quitté les lieux, Tristam courut vers le bureau. Le paquet que le maire lui avait dérobé était posé, ouvert, dessus. Il contenait un ruban au bout duquel pendait un cristal transparent. Un arc-en-ciel rayonnait à l'intérieur. Tristam eut un coup au cœur : le collier de sa mère !

Les rotations de la Terre

La Terre effectue deux principales rotations : la rotation sur elle-même, ce qui donne la succession des jours et des nuits, et la rotation autour du Soleil, ce qui donne le cycle des saisons.

Sur elle-même, la Terre tourne comme une toupie et complète un tour sur son axe en 23 heures 56 minutes et 4 secondes. Une telle période s'appelle un jour sidéral. Si l'on regarde les étoiles à une certaine heure, elles seront à la même place dans le ciel un jour sidéral plus tard.

À cause de cette rotation, quelqu'un qui se tient à l'équateur (et qui reste immobile par rapport au sol) tourne en fait autour de l'axe de la Terre à une vitesse de 1 674 km/h. C'est pour utiliser cette vitesse, gratuite, que les fusées décollent aussi près que possible de l'équateur. Dès que l'on s'en éloigne, on perd beaucoup de vitesse.

New York tourne à environ 1 275 km/h autour de l'axe de la Terre.

Paris et Londres à environ 1 070 km/h.

Les pôles ne bougent presque pas.

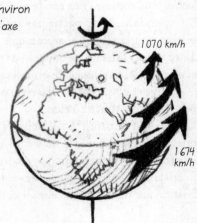

1 070 km/h

1 674 km/h

107000 km/h

Même si cette vitesse varie de presque zéro au pôle Nord à 1 674 km/h à l'équateur, elle n'est rien, comparée à la vitesse de la Terre dans sa course annuelle autour du Soleil.

Une année sidérale est le temps qu'il faut à la Terre pour faire le tour du Soleil et revenir à la même place. Cela correspond à 365,25 jours de 24 heures (ou 366,27 jours sidéraux).

La vitesse moyenne de la Terre autour du Soleil est d'environ 107000 km/h, plus de dix fois la vitesse d'une balle de fusil. Elle est la même pour tout le monde.

Avec une calculatrice, tu peux calculer tout seul ta vitesse par rapport à l'axe de la Terre, où que tu sois dans le monde:

Sur Internet, tape le nom de la ville la plus proche et le mot «latitude». Tu trouveras alors la latitude de l'endroit où tu es.

Prends le cosinus de cette latitude (tu tapes le chiffre que tu as trouvé sur ta calculatrice et ensuite sur la touche «cos»).

Multiplie alors le résultat par 1 674.

Le résultat est ta vitesse, en kilomètres par heure.

Chapitre 13

Quand Tom entra dans la maison, Tristam était assis dans un des canapés du salon. Le collier de sa mère autour du cou, le cristal contre sa peau, il fixait le portrait de Myrtille posé sur la table basse. Ses yeux scintillaient comme s'il avait pleuré.

– Il est bizarre, ce type ! fit Tom en s'approchant. Il m'a dévisagé pendant une éternité avant de partir. Qu'est-ce que tu lui as raconté ?

– Je leur ai tout dit, à lui et au maire, mais il n'avait pas l'air de me croire. Il trouvait bizarre qu'on se soit évadés, toi et moi, et pas Myrtille.

Tom pâlit.

– Il doit nous prendre pour des lâches. Il doit penser que mon père est un nul.

– Ne dis pas ça ! On ne sait pas ce qui s'est passé.

Mais Tom savait, lui, ce qui aurait dû se passer. Il avait tout entendu la veille de l'attaque, caché entre les épis de riz, derrière la porte des Drake : Myrtille devait s'enfuir avec Tristam. Pas avec lui. Son père avait échoué, et peut-être que c'était à cause de lui. Le souvenir du colonel enchaîné lui noua l'estomac. Il baissa la tête. Ses yeux tombèrent sur l'affiche que regardait son ami.

Le portrait lui sembla familier, mais il lui fallut quelques instants pour reconnaître Myrtille. Il se jeta dessus.

– Quoi ? Ils vont la tuer ? s'exclama-t-il. Dans quatre jours !

Sous le pull de Tristam, le cristal de Mme Drake devint glacial. Le garçon frissonna. Une colère enfouie au plus profond de son âme venait de faire surface, réveillant en lui des sensations qu'il n'avait jamais connues jusque-là. Le temps d'un instant, il éprouva la puissance de tous les nuages qui dérivaient au-dessus de la plaine entourant la Cité Blanche. Une sorte d'énergie électrique se propagea sur sa peau et dans ses veines et submergea son esprit d'une haine sans bornes, dirigée contre le Tyran. Il eut l'impression qu'il pourrait commander la pluie et le vent rien qu'en le souhaitant. Au moment où il voulut essayer de le faire, le cristal lui brûla la peau, et il revint à lui, tout blanc et épuisé.

– Il faut qu'on la sauve ! continua Tom, qui trouvait là un moyen de réussir là où son père avait échoué.

– Oui, murmura Tristam, tout faible. Le lieutenant est en train d'y réfléchir.

– Bonne idée ! Réfléchissons un peu. Tu sais où se trouve Scinty Town ?

– D'après le lieutenant, c'est à une journée d'ici.

Tom fixa Tristam, attendant des précisions, sans remarquer que son ami était blanc comme un linge et tremblant.

– Je crois que j'ai faim, dit Tristam en se levant, mon cerveau fonctionne au ralenti.

Tom le regarda se diriger vers la cuisine et secoua la tête. Décidément, Tristam n'avait pas changé : il était incapable de se concentrer plus d'une minute.

Il étala les cartes éparpillées sous le portrait de Myrtille. Il lui fallait élaborer un plan d'action ! « Si ces cartes sont là, c'est qu'elles contiennent des informations dont j'ai besoin », pensa-t-il. Malheureusement, tous les textes et légendes étaient écrits dans une langue qui lui était inconnue. Tous, sauf ceux de la plus grande qui, posée sous les autres, recouvrait la table.

Elle représentait la région, depuis les mers à l'ouest jusqu'au-delà des frontières du royaume du Centre, à l'est. La Cité Blanche figurait au milieu. Tom commença par chercher sur la gauche un petit point blanc au-dessus de l'océan

qui indiquerait l'emplacement du Blueberry… Il ne trouva rien. Le Blueberry n'était même pas répertorié ! Il se décala vers la partie droite de la carte.

Autour de la Cité Blanche, elle était crayonnée de vert et de marron clair. Puis venaient quelques montagnes, également colorées en marron. « Ce sont sans doute de vraies montagnes, pensa Tom, du type de celles qui s'élèvent sur la surface de la Terre. »

Une couche nuageuse blanche recouvrait tout le côté droit de la carte. Le blason qui y était dessiné indiquait qu'il s'agissait de l'extrémité occidentale du royaume du Tyran. Une tour jaune marquait la forteresse volante inachevée dont Rob, l'un des policiers, avait parlé. Elle était juste derrière la barre de montagnes rocheuses. Puis, à la limite de la carte,

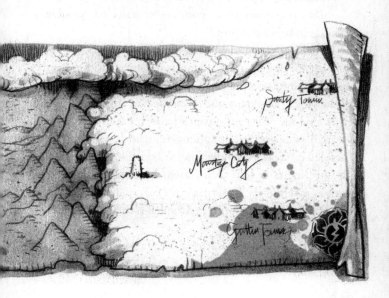

quelques noms de villes étaient inscrits : Grithlin Tower, Marstep City… Scinty Town !

Cette dernière se situait au nord-est, sous un bandeau blanc qui traversait la carte de gauche à droite. Tom ne s'y connaissait pas trop en vitesse de vol, mais il lui semblait bien que Scinty Town était loin, beaucoup trop loin pour arriver à temps et secourir Myrtille.

– Regarde ce que j'ai trouvé ! s'écria Tristam.

Perdu dans ses calculs, Tom sursauta. Son ami revenait les bras chargés de nourriture. Il avait la bouche pleine, ce qui ne l'empêchait pas de sourire à pleines dents.

– Tu es sûr que le lieutenant pense se rendre à Scinty Town en un jour ? lui demanda Tom.

Tristam s'assit par terre à côté de lui.

– Oui. Il est bien placé pour savoir que c'est possible, il vient de là-bas. Pourquoi ?

Tom, accaparé par des choses plus importantes, ne répondit pas. Au bout d'un moment, les odeurs alléchantes des mets lui bloquèrent le cerveau. Tristam mangeait comme un sauvage. Ne tenant plus, Tom se jeta sur la nourriture, et ils engloutirent tout, jusqu'à la dernière miette. Repus, incapables de bouger, ils s'allongèrent sur le sol. Les rayons du soleil qui traversaient la fenêtre y dessinaient des rectangles lumineux et leur chauffaient les pieds. Combien de temps restèrent-ils ainsi ? En tout cas, quand ils reprirent leur conversation, la lumière du soleil n'entrait plus dans le salon.

– Et cette Yage Heather ? demanda Tom. Elle est comment ?

– Géniale ! s'exclama Tristam. Elle m'a rendu le paquet de ma mère.

– Ah oui ? Qu'est-ce qu'il y avait dedans ?

– Son collier.

– Celui qu'elle portait quand elle est arrivée sur le Blueberry ?

– Je crois.

– Je peux le voir ?

Tristam sortit le cristal caché sous son pull. Tous deux fixèrent avec fascination les couleurs chatoyantes de l'arc-en-ciel qui luisaient en son centre. Tristam se sentit protégé par l'éclat de sa lumière.

– Qu'est-ce que c'est ? murmura Tom. Comment il fait pour briller ?

– Je ne sais pas. Mais il m'a brûlé tout à l'heure, répondit Tristam sans parler de l'étrange puissance qu'il avait ressentie dans tout son corps.

– Tu ferais mieux de le cacher, lui conseilla Tom, méfiant.

Tristam acquiesça et glissa le cristal sous son pull. Au même moment, la porte d'entrée de la maison s'ouvrit violemment et se referma en claquant.

– Drake ! Briggs ! cria le lieutenant. Venez ici ! Vite !

Ils entendirent des livres tomber, des vases se briser… Ils se précipitèrent dans l'entrée. Le lieutenant avait renversé toutes ses armoires et il barricadait sa maison, tout en la détruisant, comme s'il savait déjà qu'il ne reviendrait jamais.

– Le Blizzard fouille le village, souffla-t-il en poussant une armoire devant une fenêtre. Il vous cherche. Nous devons partir !

Il était métamorphosé. L'ex-chef de la police déprimé était redevenu un chef. Ses mots étaient des ordres.

– Descendez à la cave, commanda-t-il en tendant une clef à Tom. Choisissez une tenue à votre taille et enfilez-la. Dans cinq minutes, il faut qu'on soit partis.

– On va où ? demanda Tristam.

– Pas de questions ! Exécution !

Tristam et Tom se ruèrent en bas, déverrouillèrent la porte et entrèrent dans la cave. La lumière, qui s'alluma automatiquement, éclaira une collection d'arbalètes accrochées au mur. Des combinaisons et des gants blancs étaient empilés sur les étagères d'une armoire ; des casques et des bottes, alignés contre le mur. Il y avait assez de tenues pour équiper un escadron entier. Ils se hâtèrent d'en trouver deux à leur taille et de les enfiler.

Le lieutenant dévala les marches quatre à quatre avec trois gros sacs à dos dans les bras. Il en lança un à chacun.

– Ils arrivent, annonça-t-il en se changeant en vitesse.

Puis il glissa la main derrière l'armoire. La paroi en bois pivota et un escalier apparut. Les deux garçons suivirent le policier en bas et coururent après lui le long d'une passerelle suspendue au-dessous du village. Il y avait du vent et du brouillard ; il faisait très sombre et humide. Une brume grise et épaisse cachait la surface de la Terre, plusieurs milliers de mètres plus bas.

Tous les dix pas, une échelle de corde pendait du plafond nuageux. Le lieutenant finit par s'arrêter sous l'une d'elles et y grimpa pour ouvrir une trappe. La lumière du jour aveugla les deux amis.

— Courez jusqu'au mur de vent aussi vite que possible et sautez de toutes vos forces entre les deux lumières rouges, ordonna le lieutenant avant de se hisser à la surface.

Tristam et Tom grimpèrent à leur tour à l'échelle et se retrouvèrent au milieu de la plaine, à plusieurs centaines de mètres de la maison d'où ils étaient partis. Ils virent des troupes de soldats qui dévalaient les rues pentues du village et se précipitaient dans leur direction.

Plusieurs trappes, provenant d'autres passerelles souterraines, s'ouvrirent dans le sol. Saisis par la peur, incapables de bouger, Tristam et Tom regardèrent des hommes du lieutenant en jaillir et s'éloigner à toutes jambes du village.

Soudain, une flèche siffla entre les deux amis, les faisant brutalement revenir à la réalité. Dans un sursaut, ils s'élancèrent derrière le lieutenant et ses hommes. Tous cherchaient à atteindre le mur de vent et les immenses nuages qui flottaient derrière.

Le lieutenant, lui, était déjà arrivé à la limite de la plaine. Il posa deux lumières rouges par terre, au pied de deux nuages dont les bases se chevauchaient.

Tristam et Tom virent ses hommes le rejoindre en accélérant et sauter les uns après les autres entre les lumières avant de disparaître à l'intérieur du nuage.

— Par ici ! hurla Wahking en désignant les deux points rouges. Sautez !

Sur leur lancée, Tristam et Tom bondirent eux aussi. Un coup de vent prodigieux les propulsa vers le haut. Les bras battant l'air, ils s'élevèrent pendant un moment, puis planèrent avant de retomber sur un sentier solide à une quinzaine de mètres du mur, au milieu des autres fuyards.

Les lumières rouges s'éteignirent ; le petit groupe retint son souffle. Quelques instants plus tard, Wahking atterrissait à côté d'eux.

— En avant ! cria-t-il en se relevant.

Aussitôt, toute la troupe s'enfonça dans les nuages.

En arrivant au mur de vent, les soldats du Tyran scrutèrent le brouillard qui avait englouti les fugitifs. Leur chef essaya d'apercevoir un sentier ou un chemin ; en vain : le nuage était trop épais. Il se mit à craindre pour sa vie. Le Blizzard ne tarderait pas à arriver et il n'accepterait jamais qu'il ait laissé partir les fuyards.

Il se retourna vers ses hommes et désigna un soldat :

— Toi, saute !

Le volontaire désigné d'office recula, terrifié. Son chef arma son arbalète et le visa entre les yeux.

— Tu as cinq secondes.

Le malheureux prit de l'élan et sauta. Il ne trouva aucune surface solide de l'autre côté du mur et entama une chute vertigineuse vers la terre. Le vent couvrit ses hurlements.

— Au suivant ! ordonna le chef, qui mit en joue quelqu'un d'autre. Il doit y avoir un passage ! Et nous allons le trouver avant l'arrivée du Blizzard.

L'électricité de l'atmosphère

Les atomes qui forment la matière autour de nous sont composés d'un noyau, qui porte une charge électrique positive, autour duquel tournent des électrons, qui portent une charge négative. Au total, ces deux charges s'annulent toujours, et les atomes sont électriquement neutres. Sinon, nos corps seraient comme des aimants.

En approchant de la Terre, certains rayons provenant de l'espace (et surtout les rayons X et ultraviolets du Soleil) heurtent les atomes de notre atmosphère et leur arrachent des électrons. Ces derniers peuvent alors circuler librement pendant quelque temps et ils perturbent les ondes radio.

En perdant un ou plusieurs électrons, les atomes deviennent positivement chargés et on les appelle alors des ions. La couche la plus haute de notre atmosphère en est remplie, c'est pourquoi on lui a donné le nom d'ionosphère. Elle se situe à une altitude allant de 50 km à 1 000 km.

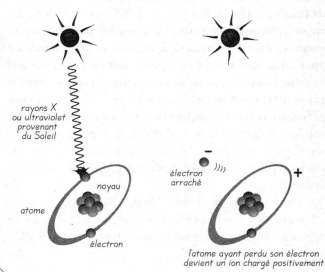

rayons X
ou ultraviolet
provenant
du Soleil

noyau

atome

électron

électron
arraché

l'atome ayant perdu son électron
devient un ion chargé positivement

Chapitre 14

Un épais brouillard aux milliers de nuances de gris enveloppait Tristam, Tom, le lieutenant et ses hommes. Ils couraient
en file indienne sur un chemin traversant une vallée enfouie
entre deux nuages massifs.

Des souffles de vent projetaient vers eux des paquets de
gouttelettes d'eau, créant des escarpements et des chenaux
sur les parois floues des nuages qu'ils franchissaient. La
rangée de fuyards ressemblait à une colonie de fourmis se
pressant entre deux gigantesques masses d'air saturé de
vapeur. La seule touche de couleur se trouvait au-dessus
des fugitifs, où de minuscules ouvertures laissaient parfois
entrevoir le bleu d'un ciel lointain.

Tristam et Tom couraient derrière les autres quand un
grondement sourd les fit trembler de la tête aux pieds.

— C'était quoi ? gémit Tristam, qui leva des yeux craintifs
vers les gigantesques falaises nébuleuses et mouvantes qui
les cernaient.

— TOUT LE MONDE AU SOL ! hurla le lieutenant.

Un arc bleu électrique fusa du nuage à leur gauche en
crépitant avant de s'évanouir dans un flash de lumière. Un

bruit assourdissant s'ensuivit, qui s'intensifia au point de devenir insupportable.

La tête entre les mains, Tom crut que la planète s'était fendue en deux. Il n'aurait pas été surpris d'assister en direct à la fin du monde. Mais le nuage était intact ; le bruit cessa.

— On continue ! cria le lieutenant, et Tom s'élança derrière les hommes.

Tristam, lui, restait accroupi, secoué par de violents tremblements. Le cristal de sa mère lui avait encore brûlé le torse. En fermant les yeux, effrayé par la furie du ciel, il avait eu une nouvelle vision. Il avait aperçu la Terre entière, vue depuis l'espace, avec ses courants aériens, ses vents surpuissants. En un clin d'œil, il avait entrevu la beauté et la force de la Terre.

« C'est magnifique ! » pensa-t-il avant de regarder le groupe qui s'éloignait.

Le monde autour de lui n'était qu'une ombre difforme et diffuse, teintée de gris et de blanc. Même s'il tremblait toujours, Tristam n'avait plus peur. Il sentait que la Terre était avec lui.

Il vit Tom, qui, s'étant aperçu de son absence, accourait vers lui.

— Ça ne va pas ? demanda-t-il.

— Au contraire, répondit Tristam, plein d'une joie soudaine qui contrastait avec le danger. Allons-y !

Ils s'élancèrent sur le chemin pour rejoindre les autres. Les nuages s'illuminèrent, comme si, ragaillardis, ils présageaient des jours meilleurs. La lumière s'intensifiait à chacun de leurs pas.

Soudain, ils sortirent du brouillard.

À leurs pieds s'étendait la surface de la Terre.

Tristam écarta les bras pour embrasser l'immensité qui s'offrait à lui.

— Regarde-moi ça !

Tom ne répondit pas, le souffle coupé par tant de beauté. Lui aussi voyait la surface de la Terre pour la première fois.

Le continent en contrebas s'étendait à perte de vue, jusqu'à l'horizon, où des sommets rocheux marquaient la limite entre la terre embrasée par le soleil et le bleu profond du ciel. Des nuages isolés flottaient çà et là. Certains ressemblaient à de petites bouffées blanches, d'autres, gigantesques, avaient la forme de tours.

— Ces splendeurs ne sont rien si l'on ne les admire pas avec ceux que l'on aime, commenta le lieutenant d'une voix d'outre-tombe.

Il se tenait derrière eux, en simple spectateur, près d'une ouverture dans le nuage. Maintenant que l'échappée touchait à sa fin, son euphorie était retombée.

— Nous décollons dans quelques minutes, annonça-t-il. Restez ici le temps que nous préparions les jets. Ne vous éloignez pas, ne tombez pas, les occasions de vous faire tuer ne manqueront pas plus tard.

— On a réussi ? l'interrogea Tristam. Ils ne nous rattraperont pas ?

De la tête, Wahking fit oui, puis non. Oui, ils avaient réussi. Et, non, on ne les rattraperait pas. Même si les hommes du Tyran finissaient par trouver le sentier entre les nuages, ils ne pourraient pas l'emprunter : Yage Heather

allait diriger dessus les vents de l'usine de la cité pour le détruire. Le temps que les hommes du Blizzard rebroussent chemin et sautent dans leurs engins volants, les fugitifs seraient loin.

— Vous nous emmenez à Scinty Town, alors ? demanda Tom, qui avait peur que le lieutenant ne les abandonne en route pour aller sauver Myrtille tout seul.

Wahking n'avait pas l'air si décidé que cela, mais il hocha la tête.

Tom et Tristam se regardèrent, rassurés.

— Nul ne devrait se réjouir d'une bataille, déclara le policier avant de tourner les talons.

— Ce type est quand même bizarre, marmonna Tom en le regardant pénétrer dans le nuage à travers une anfractuosité camouflée.

Les deux amis s'assirent côte à côte et regardèrent vers l'est.

Parsemé d'étendues colorées, le paysage était brisé çà et là par les longues courbes bleues des rivières que les montagnes alimentaient en eau. Tom se rappela la carte qu'il avait étudiée dans le salon du lieutenant et reconnut les couleurs du paysage. Il savait où ils étaient !

— Tu vois les montagnes, là-bas ? lâcha-t-il en tendant le bras vers l'horizon. Derrière commencent les nuages du Tyran.

L'électricité au sol

Les noyaux des atomes qui forment la matière ressemblent à des balles remplies de petites boules, qu'on appelle neutrons et protons. À un moment de leur vie, ces balles peuvent se scinder en deux et devenir des balles plus petites: on dit alors que les noyaux se sont désintégrés.

Contrairement à ce que l'on pourrait croire, la désintégration des noyaux des atomes ne fait pas tout disparaître: elle crée de nouveaux atomes, plus petits, et libère une charge électrique négative. Cela arrive tout le temps autour de nous, même à l'intérieur de nos corps.

Ce phénomène naturel s'appelle la radioactivité, et il est impossible de prévoir exactement où et quand elle a lieu. En revanche, il est possible de savoir, en moyenne, combien d'atomes d'une certaine espèce vont se transformer en un temps donné. C'est grâce à cela que l'on peut donner l'âge de certains objets, plantes ou ossements: en déterminant, par exemple, le nombre d'atomes de carbone 14 qui se sont désintégrés à l'intérieur, on peut calculer depuis quand ils sont là.

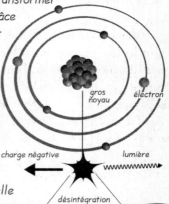

La radioactivité naturelle donne à la surface de notre planète une charge électrique négative.

TROISIÈME PARTIE

Le nuage orageux

Chapitre 1

Les infortunés villageois du Blueberry, malmenés par les soldats du Tyran, marchaient vers un horizon de souffrance, le long d'un chemin construit sur les nuages de cristaux de glace qui flottaient très haut au-dessus de l'océan.

À travers les cirrus, on apercevait le cratère de l'île au volcan. Il ne restait plus aucune trace du nuage sur lequel Myrtille, Tristam et Tom avaient grandi.

Les mains liées dans le dos, impuissante, Myrtille ne pouvait pas détacher le regard de la file de captifs. Parmi eux, elle vit le colonel Briggs, entouré de cinq soldats armés, ainsi que M. Azul, marchant la tête baissée, blanc comme le cirrus sous ses pieds. Mlle Peel était là elle aussi, bâillonnée, tentant tant bien que mal de réconforter les villageois anéantis.

Ils n'avaient pas fait cent mètres qu'à l'évidence certains prisonniers souffraient déjà terriblement du froid.

L'esprit vide, essayant de ne pas écouter les commentaires de son pilote, Myrtille chercha dans la foule Mme Drake, Tom et Tristam. La mère de Tristam, les mains libres, se détournait d'un Blizzard volant près d'elle, la cape au vent, qui semblait lui proposer de monter sur son jet.

Tristam et Tom n'étaient nulle part.

— Tous les survivants deviendront des esclaves, dit le pilote assis devant Myrtille. D'ailleurs, ils ne vont pas tarder à en être informés. Comme ça, ils auront tout leur temps pour remercier ton père de les avoir abandonnés. Crois-moi, dans deux mois, ils regretteront tous de ne pas être morts au combat.

Myrtille luttait pour ne pas sangloter. Il fallait qu'elle soit forte : elle avait choisi de subir le même sort que les villageois. Elle essayait de ne pas blâmer son père, mais c'était difficile.

« Au moins, Tom et Tristam s'en sont sortis… » pensa-t-elle pour se donner du courage.

Puis le pilote accéléra, et les villageois disparurent au loin.

Ils survolèrent des nuages, des terres, une chaîne de montagnes, un océan… Combien de temps dura le vol ? Myrtille n'aurait pu le dire. Bouleversée par le spectacle de villageois ligotés, elle avait perdu toute notion du temps.

Ils volaient au-dessus de l'océan depuis un bon moment quand elle aperçut un étrange nuage isolé au sommet en forme d'enclume. Il semblait suspendu au milieu du ciel. Une pluie torrentielle tombait de sa base sombre et plate, martelant la surface de l'eau, mille mètres en dessous.

— Tu dois être impatiente de rencontrer ton nouveau roi, ricana le pilote, en dirigeant la libellule vers le sommet du nuage. Eh bien, on arrive…

« Je ne l'appellerai jamais "mon roi", pensa Myrtille. Je ne le regarderai même pas. »

Sur le nuage se dressait un château entouré de remparts crénelés qui brillait de mille feux dans la lumière de l'après-midi. L'ensemble avait été taillé dans de la glace épaisse et translucide renforcée çà et là par des poutres en bois sombre.

Au pied de la demeure royale s'étendait un magnifique parc, dont la végétation profitait d'un ingénieux système thermique. Il abritait de luxueux manoirs. Malgré la forme menaçante du nuage sur lequel ce havre était bâti, tout y respirait le calme et la richesse.

Le pilote posa la libellule devant les portes transparentes des remparts qui se découpaient sur le fond du ciel d'un bleu profond, éternel.

— Quelle belle journée ! s'exclama-t-il en se levant, tout joyeux.

Il s'étira les jambes en faisant un clin d'œil à Myrtille, restée assise à l'arrière de la libellule.

— Toi, tu vas me valoir une promotion ! poursuivit-il en souriant à pleines dents. Je vais peut-être même devenir Blizzard ! Quelle chance j'ai eue de te trouver, moi ! Alors, prête à faire la connaissance de ton roi ?

— Décidément, vous n'avez pas beaucoup de conversation, semble-t-il, lâcha la princesse.

Les traits du pilote se figèrent et sa lèvre supérieure se mit à trembler de fureur. Il s'approcha de la jeune fille, l'arracha à son siège et la lança sur le sol. Elle tomba à la renverse.

Il se penchait sur elle, menaçant, lorsqu'un crissement de glace se fit entendre derrière eux.

Les portes des remparts s'ouvraient. Des cors retentirent, remplaçant le murmure du vent par une symphonie militaire.

Des centaines de gardes royaux, alignés de part et d'autre d'un immense tapis rouge, se mirent au garde-à-vous les uns après les autres, créant une vague de vermeil et d'or qui se propagea des remparts jusqu'aux marches du palais.

Le pilote releva Myrtille sans ménagement et la poussa en avant.

La tête haute, elle longea la haie d'honneur en jetant des regards méprisants à l'homme qui marchait à côté d'elle, et dont la vanité la révulsait. Il ne s'était apparemment pas attendu à un accueil aussi solennel. Savourant son triomphe, il avançait, sans regarder personne.

Myrtille marcha jusqu'à l'escalier du majestueux palais. Là, elle s'arrêta et refusa d'aller plus loin.

– Quel grand soldat vous faites ! ironisa-t-elle en le voyant si fier. Escorter un dangereux seigneur de la guerre comme moi… Votre mère doit être tellement fière de vous !

La colère enflamma les yeux du pilote. Il serra les mâchoires : s'il avait été seul avec cette petite effrontée, il l'aurait giflée avec joie. Mais, devant tant de témoins, il ne pouvait pas se le permettre. Frustré, il attrapa les menottes de Myrtille et la souleva d'une seule main, lui tordant les bras. Myrtille grimaça de douleur, mais ne lui fit pas le plaisir de gémir.

Le pilote monta l'escalier en portant Myrtille comme un paquet, conscient qu'à chaque fois qu'il la secouait, il lui faisait souffrir le martyre. Il ne la lâcha qu'une fois en haut, devant l'imposante entrée de la demeure, où il s'arrêta, impressionné.

La façade du château avait en effet été conçue de manière à intimider les visiteurs avant même qu'ils n'entrent à l'intérieur. Le contraste entre le bois et la glace était saisissant. Ce qui, de loin, semblait pur et beau se révélait effrayant, vu de près. De part et d'autre du portail sombre, de gigantesques colonnades de glace soutenaient un toit d'où dépassaient des poutres en bois, ornées de sculptures d'oiseaux aux airs terrifiants. Les serres acérées, les yeux injectés de sang, ces géants semblaient sur le point de prendre vie et de fondre sur quiconque oserait s'approcher de la résidence royale.

Même le soldat qui accompagnait Myrtille tremblait de peur. La petite princesse songea qu'elle n'était pas de taille à affronter le maître des lieux…

Le pilote, nerveux, vérifia sa mise et ses bottes. Manifestement, il s'attendait à être accueilli par des nobles du royaume, voire le roi en personne. Lentement, le portail du château s'entrouvrit et un majordome s'avança vers eux.

« Bien fait pour ce vaniteux ! » pensa Myrtille.

Le majordome s'inclina devant la jeune fille, lui demandant d'excuser l'absence momentanée du roi. Il regarda ses mains liées dans le dos et lança un regard désapprobateur au pilote.

– Auriez-vous l'obligeance de détacher l'invitée de Sa Majesté ? dit-il d'un ton méprisant.

L'homme s'exécuta immédiatement.

– Son Altesse veut-elle bien me suivre ? enchaîna le majordome sans prêter la moindre attention au soldat.

Myrtille pénétra dans le grand hall, et les portes se refermèrent au nez du pilote qui, interloqué, était resté sur le perron royal.

La lumière vacillante de chandeliers aux mille bougies éclairait le hall d'entrée du palais, dont les murs, le sol, les poutres, toutes les surfaces étaient recouvertes d'une marqueterie délicate.

De part et d'autre de la salle partaient des couloirs qui desservaient un nombre incalculable de chambres, de parloirs, de salons.

Mais Myrtille ne prêtait pourtant aucune attention au faste du palais.

« L'invitée de Sa Majesté... Le majordome a bien dit "l'invitée". Il a dû me confondre avec quelqu'un d'autre », se répétait-t-elle lorsqu'elle vit, accrochées aux murs, des têtes empaillées de chouettes et de hiboux.

— Quelle horreur ! s'exclama-t-elle.

— C'est un point de vue, mademoiselle, commenta le majordome. Sa Majesté trouve cela très beau, il y voit un symbole de la victoire de l'homme sur la nature.

— Mais c'est horrible !

— Par ici, je vous prie.

Le serviteur royal la précéda dans un couloir, puis dans un autre, et un autre encore. Ils traversèrent des halls, montèrent des escaliers. Ils passèrent devant des dizaines de domestiques silencieux qui les saluèrent au passage en s'inclinant.

Quand le majordome s'arrêta enfin devant une porte en bois et l'ouvrit, Myrtille était complètement perdue. Elle entra dans un salon aux baies vitrées, inondé par le soleil couchant.

— Voici vos appartements, annonça l'homme. Vous trouverez des robes de soirée et des chaussures dans votre penderie. Le dîner est servi à vingt heures. Je reviendrai vous chercher.

Puis il s'inclina, sortit et referma la porte derrière lui, la laissant seule dans la pièce.

Myrtille n'y comprenait plus rien. Était-elle toujours prisonnière ? Prudemment, elle appuya sur la poignée. La porte n'était pas verrouillée ! La jeune fille jeta un coup d'œil dans le corridor. Il était désert.

— À vingt heures ? répéta-t-elle à voix haute comme si elle venait seulement d'entendre ce que le majordome avait dit. Un dîner ? Alors, je suis libre ?

Dans la confusion, elle ressentit un besoin impérieux d'occuper son esprit avec une question concrète. Elle chercha des yeux une pendule.

Un grand canapé et deux fauteuils entourant une table basse en cristal meublaient la partie centrale du salon. Installés face à la baie vitrée, un bureau en bois sculpté et une chaise ancienne baignaient dans la lumière pourpre de la fin du jour.

Pas de pendule.

À droite des fenêtres, il y avait une porte. Myrtille s'en approcha et frappa timidement.

Personne.

Elle l'ouvrit avec précaution et entra dans une chambre à coucher. Un lit à baldaquin de la taille du salon des Briggs occupait un bon quart de l'espace. La penderie était là.

Myrtille contourna le lit sur la pointe des pieds, comme si quelqu'un dormait dedans. Du bout des doigts, elle toucha les rideaux, la tenture, le couvre-lit, les meubles. Tout était tellement doux, tellement chaud, tellement luxueux !

Elle ouvrit une armoire. Des robes taillées dans des tissus soyeux, plus somptueuses les unes que les autres, étaient suspendues aux cintres. Elle les effleura, les admira, mais n'osa pas en essayer une seule. Puis elle parcourut du regard des dizaines de paires de chaussures rangées par couleurs sur des étagères. La tête lui tournait. Elle s'assit dans un fauteuil, incapable de comprendre ce qui lui arrivait. Habillée de sa misérable jupe du Blueberry, elle se faisait l'effet d'une tache vivante au milieu de ce luxe incroyable.

Le tic-tac d'une pendule attira soudain son attention : vingt heures moins dix.

Myrtille fixa la petite aiguille et regarda les minutes s'écouler.

Vingt heures moins cinq.

Quelqu'un frappa à la porte.

La jeune fille regarda ses vêtements fripés et se leva d'un bond. Elle attrapa la robe la plus simple de l'armoire et la passa à la hâte. Puis elle prit une paire d'escarpins sans talon, les chaussa et courut dans le salon.

Le majordome apparut sur le seuil, toujours aussi cérémonieux.

« Mademoiselle dînera en compagnie de quelques gouverneurs des provinces de Sa Majesté, annonça-t-il. Veuillez me suivre. »

Comment l'atmosphère répartit-elle la chaleur du Soleil ?

La Terre est une boule qui tourne sur elle-même autour d'un axe nord-sud. Le Soleil l'éclaire de côté et la réchauffe donc plus aux alentours de l'équateur qu'aux alentours des pôles. Avant de renvoyer cette énergie dans l'espace, l'atmosphère répartit la chaleur tout autour de la Terre.

L'air chaud de l'équateur s'élève très haut dans le ciel, emportant avec lui beaucoup de vapeur d'eau jusqu'à une altitude d'environ 17 km. En montant, l'air se refroidit et la vapeur d'eau se transforme en gouttelettes. C'est pour cela que d'énormes nuages apparaissent vers l'équateur, et qu'il y pleut beaucoup.

Une fois en haut (entre 10 et 17 km d'altitude), l'air se dirige vers les pôles, perd son humidité sous forme de pluie et redescend, tout sec, aux alentours des tropiques du Cancer (dans l'hémisphère Nord) et du Capricorne (dans l'hémisphère Sud). C'est à cause de cet air sec descendant qu'il ne pleut pas beaucoup dans les régions subtropicales (c'est-à-dire proche des tropiques) et que l'on y trouve beaucoup de déserts.

Une fois redescendu, l'air sec retourne vers l'équateur et crée, près de la surface de la Terre, les vents que l'on appelle les alizés. Ces vents soufflent en permanence. Ils poussent les bateaux vers l'équateur. Et comme, en plus, la Terre tourne sur elle-même, les bateaux sont aussi décalés vers l'ouest.

Au final, ce cycle crée une boucle d'air dans l'atmosphère qui distribue la chaleur : chauffé par le Soleil, l'air monte au-dessus de l'équateur, se dirige vers les pôles, puis redescend au niveau des tropiques et retourne vers l'équateur.

Cette boucle s'appelle la cellule de Hadley.

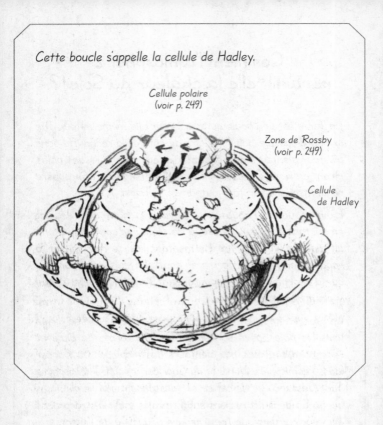

Cellule polaire
(voir p. 249)

Zone de Rossby
(voir p. 249)

Cellule
de Hadley

Chapitre 2

Les invités discutaient, debout derrière leurs chaises, en attendant le roi.

La table, longue d'une vingtaine de mètres, étincelait de verres en cristal, d'assiettes en porcelaine d'un blanc immaculé et de couverts en or. Des portraits d'ancêtres de la famille royale ornaient les murs.

Le majordome conduisit Myrtille à sa place, du côté droit de la table, entre deux Blizzards vêtus de leur cape à la broderie si particulière. Parmi les convives, elle aperçut quelques militaires ; mais la plupart étaient des civils. « Des gouverneurs… », songea Myrtille. Elle eut l'impression que ces hommes et ces femmes, éloignés de leurs nuages, et surtout de leurs armées, appréhendaient l'arrivée du roi.

À la place d'honneur, un fauteuil en forme de trône attendait le maître des lieux. Derrière son imposant dossier orné de blasons royaux, un rideau pourpre recouvrait un mystérieux tableau dont on n'apercevait que le bas du cadre.

Personne ne semblait avoir remarqué l'arrivée de Myrtille, à part une femme à l'embonpoint impressionnant qui arborait une coiffure compliquée, faite de plusieurs chignons en forme de nuages superposés. Elle fixait avec étonnement les cheveux sales et emmêlés de la jeune fille.

Une cloche retentit, et tout le monde se tut.

Un homme entra dans la salle. Les convives s'inclinèrent jusqu'à terre.

Vêtu de blanc de la tête aux pieds, une cape en soie noire attachée sur les épaules, l'homme se dirigea vers le trône et s'y assit. Ses cheveux bruns, sa barbe fine et soignée, sa démarche élégante, tout prouvait qu'il était roi.

Malgré son charisme, Myrtille fut frappée par quelque chose de surprenant. Il semblait à la fois puissant et fragile, heureux et inconsolable, comme si, incapable de choisir une émotion, il les vivait toutes simultanément.

D'un geste autoritaire, le roi ordonna aux invités de s'asseoir. Un délicieux repas fut aussitôt servi ; cependant l'atmosphère restait lourde. Nul n'osait parler plus haut que son voisin, de peur de contrarier le monarque.

Assis à droite de l'énorme femme qui faisait face à Myrtille, un tout petit homme, que la jeune fille avait entendu se présenter comme gouverneur Piln, parlait de ce qu'il appelait « ses visions révolutionnaires de l'agriculture ». La dame aux chignons n'avait pas l'air très intéressée par son discours : au lieu de répondre à ses questions, elle lui décrivait les nuages de son pays, Auroraland, dont Myrtille comprit qu'il était voisin de celui de son père. Leur conversation était complètement décousue ; et pourtant ils semblaient s'apprécier.

Malgré son trouble, Myrtille écoutait ces deux êtres étranges avec intérêt. Elle apprit ainsi que des cristaux de glace pouvaient apparaître dans le ciel sous une infinité de formes extraordinaires, surpassant en beauté tous les bijoux

du monde. Elle apprit que, éclairés par le soleil, ces cristaux créaient de magnifiques halos colorés. Elle sut aussi que là-bas, dans le Nord, il était fréquent de voir des nuages kaléidoscopiques barioler les cieux comme s'ils reflétaient l'âme même d'un poète. À en croire la femme, ces nuages-là étaient différents de tous les autres de la planète : ils n'étaient pas faits d'eau, mais de couleurs.

Bercée par ces histoires, Myrtille dévisageait l'incon-nue lorsque celle-ci tourna la tête et croisa son regard. La petite princesse lut dans ses yeux bleus une douceur qu'elle n'avait ressentie chez aucun autre convive, à part peut-être le petit homme assis à côté de la femme. Une pensée soudaine traversa son esprit qui, d'un coup, la sortit de sa torpeur.

Se pouvait-il que cette inconnue à la coiffure si étrange ait parlé des nuages du Nord uniquement pour que Myrtille l'entende ? Se pouvait-il qu'elle et cet homme, qui semblait si ennuyeux, sachent qui elle était ? Essayaient-ils de lui faire passer un message ?

La femme gouverneur détacha ses yeux de ceux de Myrtille et les leva pour observer ses cheveux emmêlés. Au bout de quelques instants, elle se pencha en avant et s'adressa à la jeune fille. Les deux Blizzards qui l'encadraient posèrent aussitôt leurs couverts et tendirent l'oreille.

– Très chère, nous devrions nous occuper de vos cheveux, ne croyez-vous pas ? Et peut-être de votre ligne aussi ! Ne mangez donc pas de gâteau.

Myrtille devint rouge comme une pivoine.

– Mon coiffeur passera dans vos appartements demain matin. Il vous arrangera tout ça en un rien de temps… Enfin, aussi vite qu'il pourra, naturellement, soupira la femme.

Elle dévisagea de nouveau Myrtille avant d'ajouter, en connaisseuse :

– À bien y réfléchir, il serait plus sage qu'il vous réserve une matinée entière…

Horriblement mal à l'aise, Myrtille ne sut que répondre. La femme examinait à présent ses ongles d'un air désapprobateur, s'apprêtant à dire quelque chose, quand un son cristallin s'éleva dans la salle : quelqu'un venait d'effleurer son verre avec un couteau en or.

L'écho léger s'évanouit lentement, laissant derrière lui un silence de mort.

Le roi, qui n'avait pas prononcé un mot depuis le début du repas, prit la parole.

Chapitre 3

— Mes gouverneurs, commença-t-il d'une voix à la fois effrayante et douce, vous allez avoir l'honneur d'assister à une punition qui vous fera réfléchir à deux fois avant de continuer à aider les rebelles.

Un murmure apeuré s'éleva de la tablée.

Le petit homme assis en face de Myrtille toussa. La femme obèse se mit à trembler. Les Blizzards, le regard froid, observaient les réactions des convives.

— Il y a des traîtres parmi vous, affirma le roi d'une voix glaciale. Mon service de renseignements n'a pu me fournir qu'un seul nom, mais soyez certains que je les connaîtrai tous. Ce n'est qu'une question de jours.

Les convives s'exclamèrent tous en même temps :

— Monseigneur ! Comment pouvez-vous croire…

— Je peux vous assurer…

— Ce n'est pas moi !

La toux du petit homme se fit plus violente. Sans bouger la tête, le Tyran posa les yeux sur lui.

— Qu'en pensez-vous, gouverneur Piln ? Vous allez gentiment servir d'exemple à ces honorables personnes, n'est-ce pas ?

Entre deux quintes, le petit homme tenta de protester et de se défendre ; en vain : il n'avait plus de voix.

— Emmenez-le ! ordonna le roi.

Deux soldats firent irruption dans la salle, soulevèrent l'homme et l'emportèrent sans ménagement. Pendant un moment, on entendit encore sa toux ; puis plus rien.

— Et un misérable traître de moins, commenta calmement le Tyran.

Nul ne remua. Nul ne parla. Tous regardaient avec effroi leurs verres, l'air de penser la même chose : « Du poison ! »

— Bien, fit le roi.

Il se tourna vers Myrtille.

— Certains d'entre vous ont eu le malheur de rencontrer le père de cette jeune fille avant qu'il ne disparaisse, comme un lâche. Cet homme était roi dans le temps. Malheureusement, il ne supportait pas l'idée de progrès et, comme vous le savez, j'ai été obligé de le détrôner, pour le bien de l'humanité.

Tous les invités pivotèrent vers Myrtille.

— Sa fille est ici pour mettre un terme aux pitoyables rébellions qui fermentent dans l'ancien royaume de son père. Elle va officiellement se joindre à moi.

Pétrifiés par la peur, les invités applaudirent avec un enthousiasme feint. La représentante d'Auroraland applaudit elle aussi, mais son visage avait perdu ses couleurs. Elle retint un sanglot.

— Bien évidemment, ajouta le Tyran, si la petite refuse, elle mourra.

Il leva son verre, et tous les convives firent de même, excepté Myrtille.

— Longue vie au roi ! s'exclamèrent-ils en chœur.

Le despote sirota son vin et se leva, signifiant ainsi que le dîner était terminé.

— Les traîtres sont le rebut de cette planète, conclut-il d'une voix terriblement calme en regardant ses invités les uns après les autres. Ils passeront l'éternité dans le neuvième cercle de l'enfer. Et je compte tous les y envoyer moi-même.

Après son départ, les gouverneurs lancèrent des sourires crispés aux Blizzards, afin de ne pas passer pour des traîtres. Les convives avaient levé leur verre, mais nul n'osait boire, de peur de mourir empoisonné. Figés et peu bavards, ils avaient tous l'air pressé de se retrouver dehors. Myrtille vit des gouttelettes de sueur perler sur quelques fronts. Même ceux qui n'avaient jamais envisagé d'aider les rebelles estimaient qu'ils l'avaient échappé belle.

La jeune fille regarda l'énorme femme aux chignons et perçut sa profonde tristesse. Elle venait de perdre un ami. Lorsqu'ils croisèrent ceux de Myrtille, ses yeux humides semblaient dire : « Petite, tu n'es pas seule. »

La princesse aurait voulu se jeter dans ses bras, mais ses deux gardes se levèrent pour l'emmener hors de la salle à manger. Ils marchèrent en silence jusqu'aux appartements de Myrtille.

– Sa Majesté vous recevra demain matin, déclara l'un d'eux devant sa porte. À sept heures.

Cette fois, la porte fut verrouillée. Désespérée, Myrtille ôta sa robe, remit ses vêtements blueberriens et se recroquevilla sur le lit géant. Le front sur les genoux et les bras entourant les chevilles, elle tremblait de tout son corps.

Elle ferma les yeux. Alors qu'elle sentait ses forces l'abandonner, la silhouette d'une jeune fille apparut sous ses paupières.

Très vague au début, transparent comme s'il était de verre, le corps se précisait petit à petit. Des flux colorés circulaient sous sa peau : certains étaient bleus et semblaient alimenter le cœur, d'autres étaient rouges et reliaient tous ses membres de filaments brillants.

Son cœur se mit à battre plus vite. Les flux s'accélérèrent dans la silhouette, dont le visage commençait à se dessiner.

... *La Terre est en danger...*

... *C'est à toi de choisir ton destin...*

... *Petite, tu n'es pas seule...*

Les voix de M. Azul, de Mme Drake, de la gentille dame d'Auroraland résonnaient dans la tête de la princesse.

Les lèvres de l'apparition de verre se mirent à bouger.

Jamais tu ne rejoindras le Tyran… jamais tu ne le laisseras continuer à faire le mal… Tu récupéreras ton royaume et prendras soin de la Terre…

Soudain, Myrtille reconnut la jeune fille transparente. C'était elle-même ! Elle ouvrit les yeux, haletante, trempée de sueur.

Comme une marionnette mue par des ficelles invisibles reliées à sa volonté, elle étendit les jambes et s'allongea.

Elle emplit d'air ses poumons, et eut l'impression que son corps émettait de la lumière à travers la peau.

Elle ferma les yeux de nouveau, épuisée, mais l'angoisse avait fait place au calme. Elle ne tremblait plus.

Elle chercha à revoir son double : en vain. À la place, c'est le souvenir de Tristam qui se fraya un chemin vers la surface de ses pensées et l'accompagna au royaume des rêves.

Comment l'atmosphère répartit-elle la chaleur du Soleil? (suite)

Dans chaque hémisphère, il existe une autre boucle qui ressemble beaucoup à celle de Hadley, et qui est, entre autres, responsable des pluies qui tombent sur l'Europe de l'Ouest et donc la France. C'est la cellule polaire: de l'air chaud et humide s'élève aux alentours de 60° de latitude nord (c'est-à-dire au niveau du nord de la France) jusqu'à une altitude d'environ 8 à 10 km. Comme pour l'équateur, c'est pour cela qu'il y pleut beaucoup, mais les orages sont moins violents que vers l'équateur parce que les nuages y sont moins grands.

Une fois en haut, l'air chaud se dirige vers le pôle Nord où il redescend, tout sec. Il y a donc très peu de précipitations sur le pôle Nord qui, comme le pôle Sud, est un désert froid.

Une fois au niveau du sol, l'air froid du pôle Nord se dirige vers le sud, où il se réchauffe, se gorge d'humidité et remonte à nouveau.

Les cellules polaires et de Hadley sont séparées par une zone de turbulences qui tourne avec elles et permet à l'air chaud de se propager depuis l'équateur jusqu'aux pôles. Cette zone de turbulences crée des vents d'ouest qui balaient les latitudes moyennes (dont la France fait partie). Cette zone de turbulences s'appelle la zone des ondes de Rossby.

Sans ces trois cellules, il ferait beaucoup plus chaud à l'équateur et beaucoup plus froid aux pôles. Ce sont elles qui déterminent, en grande partie, les différents climats tout autour de la Terre. Ce sont elles aussi qui sont à l'origine des jet-streams (voir p. 280).

Chapitre 4

À sept heures moins vingt, allongée sur le couvre-lit, les mains le long du corps, Myrtille ouvrit les yeux et fixa le baldaquin en soie. Elle ne comprenait pas ce qui lui était arrivé la nuit précédente ; mais elle se sentait reposée.

Elle se leva et sortit de la chambre.

Le jour naissait derrière la baie vitrée du salon. Un bleu léger, teinté de vert tendre, illuminait le ciel, masquant l'espace et les étoiles.

Si la petite refuse, elle mourra.

Les paroles du roi étaient sans équivoque.

« Jamais je ne me joindrai à lui, pensa-t-elle. Je préfère mourir ! »

Elle ouvrit une fenêtre et laissa l'air frais emplir la pièce. La brise lui caressa les joues, les bras, les jambes. Un monde inaccessible aux sens se mêlait au réel.

Quand sept heures sonnèrent à la pendule de sa chambre, quelqu'un déverrouilla la porte et frappa.

Sans se changer, Myrtille alla ouvrir et, en silence, elle suivit le Blizzard venu la chercher. Ils marchèrent le long de couloirs sentant la cire et descendirent un escalier qui menait vers l'arrière du château.

Au bas des marches, le Blizzard ouvrit une petite porte que les rayons du soleil avaient déjà chauffée. Ils se retrouvèrent sur un aérodrome qui s'étendait jusqu'aux remparts de glace. Des centaines de motos des airs, plus menaçantes les unes que les autres, y stationnaient.

Le Blizzard s'avança vers un étrange appareil volant posé sur de longs bras métalliques. Avec sa plate-forme en bois ovale et son toit panoramique en verre, l'engin ressemblait à un plateau à fromages, dont le dessous était muni de centaines de petites hélices.

Au milieu de la plate-forme, un pilote pianotait sur un tableau de bord complexe. De confortables fauteuils installés devant étaient inoccupés, mis à part celui qui faisait face au pilote. Assis là, le roi regarda Myrtille et le Blizzard monter à bord. Il avait les mêmes habits que la veille et son regard froid semblait capable de geler les poussières qui flottaient dans l'air.

— Assieds-toi, ordonna-t-il. Là, à ma droite. Je vais te montrer quelque chose avant que ton esprit puéril ne prenne une décision stupide.

Myrtille se dirigea vers le fauteuil. Malgré l'arrestation brutale à laquelle elle avait assisté au cours du dîner de la veille, elle n'arrivait pas à déceler la monstruosité du Tyran sur les traits de son visage.

Le trône pivota sur sa base.

— Décollons, ordonna le despote.

Les hélices sous la plate-forme se mirent à tourner. L'engin s'éleva à la verticale, et Myrtille vit le château s'éloigner sous eux.

Le pilote dirigea l'engin vers l'ouest, loin du soleil levant, loin du nuage au sommet duquel se dressaient le palais et ses résidences luxueuses.

— Qu'attendez-vous de moi ? demanda Myrtille lorsque le nuage fut hors de vue. Comptez-vous me jeter dans l'océan ?

Le roi éclata de rire.

— Voyons ! Je ne suis pas un homme cruel !

— Et empoisonner un invité, vous appelez ça comment ?

Le roi se pencha vers elle ; son regard fixe glaça le sang de la princesse.

— Les traîtres sont méprisables. Ils méritent un châtiment sévère. Mais entendons-nous bien : que ton père en soit devenu un ne fait pas de toi une traîtresse. Pas encore, du moins.

— Mon père a découvert vos agissements, et vous l'avez détruit. C'est vous, le traître, pas lui ! Vous avez trahi les hommes. Pire, vous trahissez la Terre.

Le roi ne parut pas comprendre.

— De quoi parles-tu ?

— De votre arme secrète, le changement climatique, répondit Myrtille. Je suis au courant.

— Changement climatique, répéta lentement le Tyran, qui s'adossa à son trône. Je vois... Ainsi, même toi, qui as été élevée sur un nuage ridicule, loin de tout, tu en as entendu parler. Mais as-tu la moindre idée de ce que cela signifie, ou bien répètes-tu juste des mots que tu as appris par cœur, en bonne petite élève ?

— Je sais que cela effraie les oiseaux, répliqua Myrtille. Je sais que vous êtes un assassin.

— Tu ne sais rien du tout, s'emporta le Tyran. Tu n'es qu'un pion. Tu es creuse, insignifiante. Moi seul te donne de la substance en m'adressant à toi.

Sous leurs pieds, l'océan s'étendait jusqu'à l'horizon. Ils avaient croisé quelques nuages bas isolés et s'approchaient d'une région où des nuages d'altitude voilaient le ciel. Le pilote ralentit la plate-forme et l'immobilisa avant de changer de cap : à présent, ils s'élevaient à la verticale.

— Tu as entendu ce que j'ai dit hier, reprit le despote. Tu as le choix.

Myrtille allait lui répondre que son choix était fait depuis des années, mais il lui fit signe de se taire.

— Tu peux conserver tes appartements au château et devenir la fille la plus enviée au monde, déclara-t-il.

Myrtille demeura silencieuse.

— Je suis sûr qu'une demi-princesse sans royaume comme toi trouvera mon palais très distrayant. Ta vie pourrait être un vrai conte de fées, crois-moi. N'est-ce pas le rêve de toutes les fillettes ? Et, qui sait, un jour, tu récupéreras peut-être le royaume que ton père a perdu.

Myrtille l'écoutait malgré elle. Était-ce vrai ? Était-ce ce qu'elle voulait vraiment au fond d'elle ?

Elle se souvint de ce qu'elle avait ressenti en voyant Mme Drake. Elle avait tellement souhaité lui ressembler, être aussi belle et féminine qu'elle ! Mme Drake avait dû vivre dans un château avant de venir sur le Blueberry. C'est sûrement là qu'elle avait appris à se comporter comme une dame.

En pensant à Mme Drake, Myrtille se remémora aussi son nuage et les années d'esclavage promises par le Blizzard à son peuple. Elle songea à son vrai père, qu'elle n'avait jamais vu et qui devait souffrir, blessé, quelque part à la surface de la Terre. Elle pensa à Tristam, qu'elle ne reverrait sans doute jamais.

Le Tyran avait déjà détruit sa vie. La seule liberté qu'il lui laissait ? Choisir entre la damnation et la mort.

Elle serra les poings : jamais elle ne se joindrait à lui ! Elle ferait ce que lui avait dit son apparition.

Cette chambre du palais, tout ce luxe, cela ne signifiait rien à ses yeux. Elle était prête à mourir plutôt que de se ranger du côté d'un monstre.

Elle espérait qu'après sa mort, les partisans de son père trouveraient un autre chef, un vrai, comme le roi du Nord avait dû l'être par le passé.

— On lit en toi comme dans un livre, remarqua le Tyran.

Un grand sourire aux lèvres, il se pencha sur elle, le regard inquiétant. Il semblait fou, et heureux de l'être. Sans cesser de la fixer dans les yeux, il tendit la main vers l'océan alors que la plate-forme s'élevait dans les hauteurs du ciel.

— Voilà pourquoi je t'ai conduite ici. Regarde bien ce qui va se passer. Cela t'aidera sûrement à comprendre qu'en réalité, tu n'as pas le choix.

Chapitre 5

– Tu vois, continua le Tyran en se vautrant dans son fauteuil, tous les humains désirent une vie agréable. Ils ont besoin d'énergie pour voyager, se chauffer, produire toutes les bricoles qui leur semblent indispensables. Moi, je leur fournis toujours plus d'énergie, constamment, si bien qu'ils ne peuvent plus s'en passer. Par chance, ils n'apprécient pas les moulins à vent ou les éoliennes qu'ils trouvent bruyants et laids. Les gens aiment le pétrole, le gaz, le charbon et, tu veux savoir ?, ça m'arrange.

La plate-forme volante s'était immobilisée au milieu du ciel. Sous elle, les nuages recouvraient à présent l'océan et formaient une sorte de disque blanc tournant lentement dans le sens inverse des aiguilles d'une montre.

Bientôt, le disque se transforma en une gigantesque spirale qui se mit à glisser vers l'ouest.

– Oui, ça m'arrange, répéta le Tyran, parce que des tonnes et des tonnes de gaz sont alors rejetées dans l'atmosphère, vingt-quatre heures sur vingt-quatre, toute l'année. Et devine quoi ? Non seulement cela me rend riche, mais en plus, c'est exactement ce qu'il me faut ! Car ces émanations permettent

d'emmagasiner la chaleur du Soleil dans l'atmosphère. Les gens ont été prévenus des conséquences d'un tel état de choses, mais, au fond, ils s'en moquent. Ils veulent vivre aujourd'hui et se fichent éperdument de ce qui arrivera dans cent ans.

— Vous êtes cinglé, murmura Myrtille.

Ignorant sa réflexion, le Tyran haussa les épaules.

— Ce que les gens ne savent pas, c'est que tout cela peut leur retomber dessus bien avant ! Vois-tu, lorsque l'air est plus chaud, la température de l'océan s'élève. Et il devient alors plus facile de créer ceci.

Son index pointa la gigantesque spirale blanche qui se déplaçait dans le ciel. Un trou venait d'apparaître en son centre.

— Qu'est-ce que c'est ? demanda Myrtille, qui sentait la panique monter en elle.

— Certains appellent ce phénomène une tempête tropicale, d'autres un typhon, un cyclone ou un ouragan. Je ne pense pas que ton cerveau d'enfant puisse comprendre son fonctionnement, mais laisse-moi te dire ceci : ce petit bijou possède une puissance inimaginable. Il provoque des orages de grêle, de la foudre, des vents à la force inouïe, des tornades. Il détruit tout sur son passage et transforme la Terre en enfer. J'adore !

Horrifiée par la grimace qui défigurait le visage du despote, Myrtille ne put que répéter entre ses dents : « Vous êtes cinglé. »

— Malheureusement, ces phénomènes ne survivent pas à un long séjour au-dessus des terres. Les cyclones ont besoin de l'océan pour se nourrir. Or, avec le réchauffement de l'atmosphère, avec l'énergie supplémentaire qu'ils vont accu-

muler, ils pourront se déplacer de plus en plus loin à l'intérieur des continents. J'y travaille, et tout le monde m'aide en
polluant, en laissant ses lumières allumées, en consommant
toujours plus d'énergie. Ainsi, les cyclones sont déjà beaucoup plus puissants qu'avant.

Le Tyran se leva et se posta devant Myrtille.

– Le changement de composition de notre atmosphère
est déjà enclenché, personne n'y peut plus rien. Tout ce qui
est rejeté dans l'air aura encore des conséquences dans trente
ans, dans cinquante ans, dans mille ans. Seulement, qui se
préoccupe de ce qui se passera dans l'avenir ?

– Les enfants ! rétorqua Myrtille.

– Et c'est là que cela devient drôle, sourit le Tyran, dont
les traits se radoucirent. N'est-ce pas injuste ? Les adultes grondent les enfants pour des broutilles, alors que ce
sont eux qui commettent des erreurs catastrophiques et
irréparables.

Myrtille en resta bouche bée. Elle ne s'était pas attendue
à ce type de réflexion de la part d'un tel monstre.

– Pourquoi n'agissez-vous pas, si vous savez tout ça ?
lâcha-t-elle.

Le visage du Tyran se referma aussitôt.

– Pourquoi interviendrais-je ? s'écria-t-il avec un rictus
de rapace. Pourquoi ne tirerais-je pas profit de leur stupi-
dité ? Je n'ai qu'une vie ! Pourquoi ne pas tenter d'atteindre
la puissance suprême ?

Le cyclone qui balayait le ciel, mesurant plusieurs dizaines
de milliers de kilomètres carrés, paraissait aussi fou que le
roi.

Myrtille songea avec effroi à ce que deviendrait le monde lorsque le Tyran réussirait à envoyer de telles tempêtes à l'intérieur des terres.

— Au fait, ajouta le despote sur un ton professoral, la plupart des cyclones sont naturels. Comme les questions climatiques semblent t'intéresser, sache qu'ils sont nécessaires à l'équilibre de notre planète, car ils transportent de l'énergie et de l'eau d'un endroit à un autre de la Terre.

— Ils sont nécessaires quand ils sont naturels, répondit Myrtille. Pas quand c'est un fou qui les crée ou les utilise.

— C'est vrai, acquiesça le Tyran en souriant. Espérons qu'aucun fou ne s'empare de ce genre de technologie.

Il leva le bras et cria au pilote :

— Fin de la conférence ! On rentre ! Le spectacle est terminé.

La plate-forme tourna sur elle-même avant d'amorcer sa descente. Elle atteignit la couche de cirrus, la traversa, puis repartit vers l'est, vers le nuage royal.

À mi-chemin, le Tyran fit pivoter son trône et lança un regard froid et sévère à Myrtille, qui frissonna. Le roi n'essayait pas de dissimuler ses pensées.

— Tu sais déjà que, si tu décides de ne pas te joindre à moi, je te tuerai, déclara-t-il. Ce que tu ignores, c'est que je transformerai ton exécution en un piège. Bien trouvé, tu ne crois pas ? En plus, cela me permettrait d'essayer ma nouvelle arme. Pas les cyclones, malheureusement, je ne suis pas encore prêt. J'en ai une autre, qui est pas mal. Les pathétiques partisans de ton traître de père tenteront de te secourir et là... boum ! on les tue tous. Réfléchis un peu à cela...

Myrtille demeura sans voix. Mme Drake avait bien dit que les alliés de son père tenteraient de la sauver… Le Tyran ne se trompait pas.

Or, les troupes royales étaient cent fois plus nombreuses et puissantes que celles des rebelles. Un frisson glacial lui parcourut le dos. Effectivement, elle n'avait pas le choix. Si elle voulait sauver les sujets de son père, il fallait qu'elle se rende.

C'est en silence qu'ils regagnèrent le nuage du roi. Lorsque la plate-forme se posa sur l'aérodrome à l'arrière du château, le Tyran se leva.

– D'accord, marmonna Myrtille.

– Parle plus fort !

– Je ferai ce que vous voudrez. Vous avez gagné.

– Tu as changé d'avis ?

– Oui… J'ai changé d'avis.

Le Tyran se tut quelques secondes, les sourcils froncés, songeur.

– Bien ! Seuls les imbéciles ne changent pas d'avis.

Une lueur de folie brillait dans ses yeux.

– Et afin de prouver que le dicton dit vrai, poursuivit-il, moi aussi, j'ai changé d'avis. Tu es mignonne, certes, mais tu m'ennuies. Je n'ai pas besoin de toi. Je préfère te tuer, et écraser les derniers rebelles le jour de ton exécution. Ce sera plus amusant. Et je connais plusieurs endroits parfaits pour tendre un piège… Voyons… lequel choisir ? Hou la la, comme c'est excitant ! Ça y est ! Je sais !

Les cyclones tropicaux

Un cyclone est une énorme masse tourbillonnante d'air humide (et donc nuageuse) qui se forme au-dessus des eaux tropicales ou subtropicales.

Pour qu'un cyclone se forme, il faut:
- qu'une partie de l'eau de l'océan soit à au moins 27°C jusqu'à une profondeur d'au moins 50 m;
- que cette étendue d'eau chaude soit à au moins 500 km de l'équateur;
- que la température de l'air diminue suffisamment vite avec l'altitude;
- que l'air soit humide aux alentours de 5 000 m d'altitude;
- que les vents à la surface de l'eau et tout en haut de la troposphère soient presque les mêmes (à 40 km/h près);
- qu'une petite perturbation existe à la surface de l'eau afin d'enclencher la formation des nuages.

Une fois ces conditions remplies (cela arrive environ 50 fois par an), il y a tellement d'eau qui s'évapore qu'apparaissent d'énormes nuages à orage de plusieurs kilomètres de haut et de plusieurs centaines de kilomètres de large.

Dans l'hémisphère Nord, comme la surface de la Terre tourne moins au nord qu'au sud, cette colossale nappe de nuages prend alors la forme d'une spirale qui se met à avancer en tournant sur elle-même dans le sens inverse des aiguilles d'une montre.

Des vents d'une force incroyable naissent à l'intérieur, pouvant parfois atteindre plus de 200 km/h, sauf en son centre, que l'on appelle l'œil, où il n'y a pas de nuage et pas de vent.

Un cyclone peut soulever le niveau de la mer de plusieurs mètres et créer des vagues terriblement destructrices lorsqu'elles s'abattent sur les côtes.

Tant qu'ils sont au-dessus des océans, les cyclones se nourrissent de l'eau chaude qui s'évapore et deviennent de plus en plus violents. En passant au-dessus d'une île ou d'un continent, ils perdent leur énergie et finissent par s'éteindre.

Les cyclones sont tellement puissants qu'il est très difficile de prédire leur trajectoire : ils font ce qu'ils veulent.

Les dénominations « cyclone tropical », « typhon » et « ouragan » désignent exactement le même phénomène. Chacun est employé dans une région spécifique :
- « cyclone tropical » est utilisé dans le Pacifique et l'océan Indien ;
- « typhon » est utilisé en Extrême-Orient et en Inde ;
- « ouragan » est utilisé dans l'Atlantique Nord et dans le nord-ouest du Pacifique.

Les scientifiques estiment qu'un cyclone dégage, chaque seconde, une énergie équivalente à entre une et dix bombes atomiques du type de celle lancée sur Hiroshima, au Japon, à la fin de la Seconde Guerre mondiale.

Les cyclones tropicaux sont classés suivant la puissance de leurs vents moyens (les rafales peuvent aller beaucoup plus vite) :
Catégorie 1 : vents moyens entre 118 et 153 km/h.
Catégorie 2 : vents moyens entre 154 et 177 km/h.
Catégorie 3 : vents moyens entre 178 et 209 km/h.
Catégorie 4 : vents moyens entre 210 et 249 km/h.
Catégorie 5 : vents moyens supérieurs à 250 km/h.

Les tempêtes qui touchent parfois la France sont le résultat d'un combat entre une masse d'air chaud et une masse d'air froid. Même si ces tempêtes peuvent faire des ravages, les cyclones tropicaux sont incomparablement plus puissants et dévastateurs.

Chapitre 6

Tom et Tristam regardaient les nuages défiler au-dessus des terres ; leur base aplatie semblait reposer sur un drap aérien invisible.

Tom en désigna un qui dérivait au loin, bien plus haut que les autres.

— Tu vois le nuage à tête d'enclume, là-bas ? demanda-t-il.

— Mmhmm, répondit Tristam en hochant la tête.

— C'est un cumulonimbus. C'est le plus gros nuage qui existe sur Terre. Il peut mesurer plus de dix kilomètres de haut. Il contient tellement d'eau et est tellement puissant qu'il peut inonder la terre en un rien de temps, ou la marteler de grêle.

— Heureusement qu'on n'habite pas sur terre ! s'exclama Tristam.

Ne relevant pas la remarque de son ami, Tom continua :

— Tu te souviens du jour où M. Azul nous a dit qu'il y a de l'électricité qui circule autour de nous, tout le temps, dans l'atmosphère ?

— Il a dit ça ?

— Oui. C'était quand il nous a parlé de l'espace et de la Terre.

– Ah bon…

– Tu te souviens quand même que la Terre est une boule dans l'espace ? insista Tom.

Tristam lança un regard froid à son ami, qui ajouta immédiatement :

– Bon, bon ! C'était juste pour vérifier… Avec toi, on sait jamais…

– Je t'écoute, soupira Tristam.

– L'espace est rempli de rayons qui proviennent soit du Soleil, soit d'autres étoiles. En s'écrasant dans notre atmosphère, à une centaine de kilomètres au-dessus de nos têtes, ces rayons créent des ions.

– Des quoi ?

– Euh… des ions. C'est de l'électricité positive.

– Des zions ? rigola Tristam. C'est drôle comme nom ! Pourquoi tu me parles de zions ?

– D'ions, rectifia Tom, pas de zions. C'est à cause d'eux qu'il y a de l'électricité dans l'air, et à cause de la Terre aussi. L'électricité va de l'un à l'autre, du sol vers le ciel. Mais le courant est trop faible autour de nous pour que nos corps le sentent. Sauf…

Tom s'arrêta et regarda de nouveau l'enclume blanche qu'il avait indiquée à Tristam.

– Sauf… ? demanda celui-ci.

– Ah ! Tu m'écoutais vraiment, pour une fois !

– Tom ! Commence pas ! Sauf quoi ?

– Sauf quand la pluie, la grêle et le vent viennent tout dérégler. Dans ces cas-là, des décharges surpuissantes et meurtrières peuvent se produire.

– J'espère que ça n'arrivera jamais ! s'exclama Tristam.

– ça arrive cent fois toutes les secondes, mon vieux.

– Tu te fiches de moi ?

– Pas du tout.

– Et ça arrive où, alors ?

Tom tendit à nouveau la main vers le nuage géant qui flottait au loin.

– À l'intérieur de ces nuages-là. Et tu sais comment elles s'appellent, ces décharges ?

Tristam haussa les épaules.

– C'est la foudre, continua Tom.

Au même moment, Tristam crut apercevoir un arc lumineux fuser du nuage géant.

– Dis donc…, s'inquiéta-t-il, on est en sécurité ici ? On ne risque pas de se prendre la foudre sur la tête ?

– Du calme ! Tant que le cumulonimbus est loin, on est tranquilles… et derrière nous, c'est terminé.

– Quoi, derrière nous ? lâcha Tristam, qui avait la désagréable impression qu'un danger flottait au-dessus de leurs têtes.

Il leva les yeux pour examiner le sommet des deux nuages qu'ils venaient de traverser. Il n'y avait pas d'enclume, mais il comprit soudain ce que Tom était en train de lui dire.

– Mince ! s'écria-t-il. L'arc lumineux de tout à l'heure ! C'était un éclair !

– Et le vacarme qu'on a entendu après, commenta Tom calmement, c'était le tonnerre. Il fait jusqu'à 30 000 °C dans un éclair, alors ça réchauffe l'air autour, et ça fait BOUM !

Tristam se leva d'un bond et se précipita vers l'anfractuosité du nuage où s'étaient engouffrés le lieutenant et ses hommes.

— Je me souviens d'avoir lu un truc…, lança Tom. Un truc sur les cheveux et la sécurité…

— Quoi, les cheveux ? Quoi, la sécurité ? Vas-y, Tom, raconte !

— Quand il y a des gros nuages, si tu sens que tes cheveux se dressent sur ta tête, il faut immédiatement t'accroupir, et tes pieds doivent toujours toucher le sol. Et il ne faut jamais t'allonger.

— Pourquoi ?

— Pour ne pas être frappé par la foudre, imbécile.

Tristam ôta son casque en toute hâte et s'assit sur les talons.

— Comment sont mes cheveux ?

— Dans tous les sens, comme d'habitude. Enfin, normaux…, répliqua Tom, qui enleva son casque lui aussi. Et moi ?

— Plats.

— Ne les quitte pas des yeux.

— Et si on allait se cacher ?

Ils se ruèrent dans la grotte creusée à l'intérieur du nuage, dont les murs étaient recouverts d'un grillage métallique.

Les yeux grands ouverts, ils s'arrêtèrent devant des engins volants que les hommes du lieutenant étaient en train de préparer. Il y en avait partout. Ils n'avaient qu'une paire d'ailes et une queue assez longue, et paraissaient bien plus agressifs et agiles que les libellules. On aurait dit des hirondelles.

— Il faut qu'on parte, hurla Tristam, on risque de se prendre la foudre sur la tête !

— Mais non… Pas ici, répondit un des policiers. Regarde !

Il lui indiqua le grillage métallique tapissant la salle.

— Ça suffit ? s'étonna le garçon.

— Oui. C'est même la meilleure protection qui soit.

— Ah bon ! Tant mieux, fit Tristam, rassuré.

À cet instant, les hommes annoncèrent au lieutenant que les engins étaient prêts.

— Je prends lequel ? demanda Tristam.

— Tu montes avec moi, répondit Wahking.

— C'est moi qui pilote, d'accord ?

Le policier ne répondit même pas. Tom éclata de rire.

— Tu trouves ça drôle ? s'emporta Tristam.

— T'es vraiment un gamin !

Le lieutenant fronça les sourcils.

— Venez par ici, tous les deux, ordonna-t-il d'une voix autoritaire. Je ne le répéterai pas deux fois, alors ouvrez grandes vos oreilles. Tant que vous êtes avec moi, vous êtes en mission, et je suis votre chef. Quand je donne un ordre, vous obéissez et vous m'appelez « mon lieutenant ». C'est clair ?

— Oui, mon lieutenant.

— Je ne tolérerai aucune désobéissance, aucune dispute. Compris ?

Les deux amis hochèrent la tête.

— Et n'oubliez pas de relâcher la pression dès que vous le pouvez, ajouta-t-il avec son air de croque-mort déprimé. Car c'est bon de rire de temps en temps. Ça détend.

Tristam et Tom se retinrent d'éclater d'un rire nerveux : cet homme n'avait probablement pas souri depuis sa naissance !

Wahking repartit vers ses hommes, qui patientaient par groupes de deux près de leurs appareils, à l'exception de Rob, un des deux policiers qui avaient sorti les deux garçons de prison. Il fit signe à Tom de le rejoindre.

— Prêts ? demanda le lieutenant.

— H1 prêt, lieutenant. H2 prêt, lieutenant…, enchaînèrent les pilotes. H11 prêt, lieutenant.

— Allumez les moteurs.

Aussitôt, un vrombissement remplit la caverne.

— Passagers, à vos places.

Tom s'assit derrière Rob, qui lui montra comment attacher sa ceinture et ajuster sa combinaison. Sa tenue blanche se réchauffa aussitôt. Des haut-parleurs insérés dans son casque grésillèrent, et le garçon entendit les pilotes s'identifier un par un.

— C'est parti ! cria le lieutenant qui, resté debout près de Tristam, n'était pas encore monté sur son engin.

L'une après l'autre, les motos volantes quittèrent l'entrepôt. Quand le silence y retomba, l'ancien chef de la police de la Cité Blanche se tourna vers Tristam.

— De nombreux hommes mourront pour sauver Myrtille. Mais, à tout prendre, qu'ils périssent ici ou là-bas, quelle différence cela fait-il ? On doit tous y passer un jour.

Les paroles du lieutenant firent à Tristam l'effet d'une douche froide. « Quel personnage sinistre ! » pensa-t-il.

— Je te répète ce que j'ai dit au maire : cette mission est un suicide. Nous vous larguerons, ton ami et toi, dans un endroit sûr avant d'arriver à Scinty…

— Pas question ! l'interrompit Tristam. Nous vous accompagnons jusqu'au bout.

Le policier pâlit. Tristam ajouta vite « mon lieutenant », au cas où, mais Wahking ne réagit pas. Une terrible vérité venait de le frapper de plein fouet : les batailles, les conflits et les guerres impliquent toujours des enfants.

La plupart des civils adultes que le lieutenant avait rencontrés au cours de sa vie considéraient les soldats comme des héros se battant pour la victoire du bien sur le mal. Cette conviction était tellement ancrée dans leur esprit qu'ils en oubliaient les effets néfastes de la guerre.

Les enfants, eux, ne les oublient pas.

Les enfants comprennent les souffrances des autres enfants, même s'ils ne se connaissent pas, même s'ils ne parlent pas la même langue.

Et voilà que lui, Wahking, avait devant lui un gamin déterminé à se battre pour sauver son amie et qui le fixait droit dans les yeux.

Malgré ses réticences, au plus profond de lui il sentait que le petit Drake avait un rôle à jouer dans les événements futurs. Le père de Tom, le colonel Briggs, ne pouvait pas avoir échoué, comme Tristam et Tom semblaient le croire. L'évasion de Tristam n'était sans doute pas due au hasard. Il y avait là quelque chose qu'il ne comprenait pas...

– D'accord, conclut le lieutenant. Vous viendrez avec nous.

Satisfait, Tristam s'assit à l'arrière du jet et attacha sa ceinture. Le système de communication sans fil s'enclencha. Des voix résonnèrent dans son casque.

– Tom ?

– Oui ! Tu m'entends ?

– Cinq sur cinq. T'es où ?

– Je vole avec Rob. Le paysage est hallucinant ! C'est fou, comme la Terre est grande ! Et toi ? T'es où ?

— Encore dans le nuage. On arrive.

Lentement, l'hirondelle du lieutenant se souleva et sortit du hall. Quelques secondes plus tard, ils volaient à des milliers de mètres au-dessus de la surface de la Terre.

— Ici votre lieutenant…

Tout le monde se tut.

— Notre point de rassemblement est le plateau sous le troisième pic des montagnes de l'Aigle. Voici les ordres : H3, H4, H5, H6 et H7, vous allez rester en arrière pour guetter les patrouilles. Les autres, rendez-vous directement sur le lieu de rencontre.

— Entendu !

Loin devant, Tristam vit cinq motos virer sur la droite tandis que les autres continuaient vers les sommets ciselés des montagnes. Il jeta un regard par-dessus son épaule : les troupes du Blizzard ne tarderaient pas à arriver.

— Tristam ? fit le lieutenant au bout d'un instant.

— Oui, monsieur.

— Tu veux apprendre à voler ?

La foudre

Un courant électrique circule en permanence entre la surface de la Terre (qui porte une charge électrique négative) et le haut de l'atmosphère (qui porte une charge positive).

Cette circulation électrique a toujours lieu du bas vers le haut, sauf lorsque des vents très puissants font violemment monter et descendre des gouttes de pluie et de la grêle à l'intérieur d'un nuage.

Dans ces cas-là, la glace et la pluie se chargent en électricité. Personne ne sait exactement comment cela se passe, mais au bout d'un moment, de gigantesques poches d'électricité se constituent à l'intérieur du nuage. Certaines sont positives (elles sont en général en haut), d'autres négatives (en général en bas).

Lors du passage de la foudre, l'air environnant chauffe tellement que cela provoque une détonation qu'on appelle le tonnerre. L'éclair, lui, est la partie visible de la foudre.

Lorsque des chemins se forment entre ces poches, des décharges électriques surpuissantes s'y précipitent à une vitesse inimaginable.

C'est la foudre.

Certains nuages sont les spécialistes de la fabrication de poches électriques et de chemins reliant ces poches. Ce sont les cumulonimbus, les plus violents nuages au monde, que l'on appelle aussi les nuages à orages. Ce sont eux qui fabriquent la foudre.

Suivant l'endroit du nuage où se situent ces poches électriques, la foudre peut relier deux parties d'un même nuage, deux nuages différents, ou un nuage et la terre.

Lorsque la foudre relie un nuage et la terre, elle ramène vers le sol les charges électriques qui partaient vers le ciel. La foudre est donc nécessaire à l'équilibre électrique de notre planète.

Est-ce que l'orage est loin?

Au moment où un éclair illumine le ciel, compte les secondes en commençant par zéro et arrête au moment où tu entends le tonnerre. En divisant par 3 le nombre de secondes comptées, tu obtiendras la distance à laquelle la foudre est tombée (en kilomètres).

En France, on compte environ 800 000 éclairs par an. Dans le monde, la foudre frappe environ 100 fois toutes les secondes.

La foudre

Vitesse: jusqu'à 100 000 kilomètres par seconde!
Température: de 20 000 °C à 30 000 °C (entre 4 et 6 fois la température de la surface du Soleil!). Cette température est tellement élevée qu'elle vaporise instantanément l'eau contenue dans les objets foudroyés. C'est cette évaporation qui peut les faire exploser.

Chapitre 7

– Tu t'y connais en aérodynamique ? poursuivit Wahking.

– En aréo quoi ?

Assis derrière Rob, plusieurs kilomètres plus loin, Tom soupira en entendant la réponse de son ami.

– C'est l'étude des propriétés de l'air qui se déplace autour d'objets comme des jets ou des fusées, répondit le policier. Mais peu importe. Sais-tu comment vole cet engin ?

– Non, monsieur. On ne nous l'a pas appris à l'école.

Piqué au vif, Tom ne put s'empêcher de murmurer :

– Mais si !

– Boucle-la, grogna Tristam.

– Désolé…, fit Tom.

– Il faut prendre en compte quatre forces, dit le lieutenant : la gravitation, la sustentation, la poussée et la résistance de l'air. La gravité entraîne tous les corps vers le sol. Pour que nos motos volent, il faut qu'elles soient munies d'ailes. L'air qui circule autour des ailes crée une force verticale qui les pousse vers le haut. Quand cette force équilibre la gravitation, les motos volent tout droit.

« Aïe, gémit intérieurement Tristam. Il est pire qu'Azul. »

– Mon lieutenant ?

C'était la voix de Tom. Wahking l'ignora.

– L'air nous porte, certes, mais il nous ralentit aussi, car il oppose une résistance. Une poussée est donc nécessaire pour nous permettre d'avancer ; c'est le rôle du moteur. C'est assez simple, et tout à fait passionnant.

– Monsieur ? l'interrompit de nouveau Tom.

– Plus tard, Briggs.

– C'est juste que… Pourriez-vous vérifier si Tristam est bien attaché ?

Surpris par une telle requête, le lieutenant se retourna. Il n'avait pas parlé une minute, mais cela avait suffi pour que Tristam s'endorme.

– Drake !

– Présent ! répondit Tristam en sursautant.

– Qu'est-ce que je viens de dire ?

En réalisant qu'il n'était pas dans la salle de classe, Tristam essaya de se rappeler les paroles du lieutenant. « Gravitation… gravité… » Oui, c'était cela : « gravité ».

– Vous parliez de quelque chose de grave, finit-il par répondre.

– Toujours, lui accorda le lieutenant. Mais tu n'écoutais pas. Je t'enseignais les bases de la navigation aérienne. Tu m'as l'air d'un cancre. Tu n'apprendras jamais à voler. Et je m'y connais, crois-moi.

– Bien sûr que j'y arriverai ! s'indigna Tristam, qui en avait assez qu'on le prenne sans cesse pour un nul. On n'a pas besoin de savoir toutes ces choses pour comprendre le monde…

— Il y a plusieurs manières de comprendre le monde.

— Les oiseaux, ils volent bien, non ? Et vous croyez qu'ils savent vos trucs ?

— Alors, tu n'as qu'à sauter et battre des bras. Si tu arrives à voler comme un oiseau, je te laisse piloter.

Avant que Tristam puisse répondre, le lieutenant fit piquer sa moto vers le sol, puis remonta à une vitesse ahurissante. Il slaloma avec habileté entre de petits nuages blancs, braqua à droite, à gauche, plongea de nouveau… Pilote extraordinaire, il prenait manifestement plaisir à impressionner son passager.

Ce n'est qu'une fois persuadé que Tristam avait eu son quota d'émotions fortes qu'il ralentit et continua sa course tranquillement, à mi-hauteur entre le sol et les nuages.

Wahking se retourna, s'attendant à trouver Tristam au bord de l'évanouissement. Quelle ne fut sa surprise lorsqu'il le vit sautiller sur son siège, ravi, les bras levés au ciel, se retenant de hurler son bonheur.

Ayant bien observé le moindre geste du lieutenant, le garçon supplia Wahking de lui laisser les manettes.

— Pas question ! fit le pilote en dissimulant son admiration.

— Vous avez peur que je vole mieux que vous ! grommela Tristam.

Wahking, qui se considérait comme le meilleur pilote de la Terre, sourit. Il commençait à bien aimer ce gamin qui, les bras croisés, boudait à présent en fixant la cime des montagnes.

Le soleil couchant illuminait de rose et d'orange leurs crêtes à moitié cachées par un nuage géant. Son sommet en forme d'enclume était d'un rouge flamboyant.

— Si un jour, malgré ce que j'ai dit, tu pilotes quand même, ne t'approche jamais de ce genre de nuage, prévint le lieutenant. Ils sont dangereux.

— Je ne suis pas un idiot, grogna Tristam. Il y a des éclairs et du tonnerre là-dedans.

— Et aussi des vents extrêmement puissants, et des grêlons si gros qu'ils peuvent t'assommer, et même te tuer. Une belle façon de mourir, quand on y pense.

Ils contournèrent le nuage orageux et continuèrent leur route. Soudain, de violents vents ascendants firent vaciller l'hirondelle mécanique.

— Qu'est-ce qui se passe ? s'inquiéta Tristam. Il n'y a pas de nuage… D'où viennent ces vents ?

— Des versants de la montagne. Les vents qui soufflent dans les plaines suivent le relief et escaladent les pentes. Il y a toujours des vents ascendants au-dessus des massifs. Aucun vrai pilote ne l'ignore.

Tristam jeta un regard vers les sommets bruns qui défilaient sous ses yeux. Il cherchait une réplique cinglante, lorsque son casque grésilla.

— H3 au lieutenant, patrouilles en vue en provenance de la Cité Blanche. Ils nous cherchent, mon lieutenant.

— Vous ont-ils vus ?

— Non, mon lieutenant.

— Revenez, ordonna Wahking. Communications coupées. Messages d'urgence uniquement.

Il pressa un bouton sur le tableau de bord, et le silence se fit dans les casques. Tristam, qui ne perdait pas l'espoir de piloter un jour, observait attentivement tous les gestes du lieutenant qui rétablissait avec adresse l'équilibre du jet après chaque bourrasque.

Ils survolèrent les crêtes des montagnes et se retrouvèrent au-dessus d'une mer de nuages blancs qui s'étalait jusqu'à l'horizon. Tout y semblait calme ; pourtant, un sentiment étrange envahit Tristam. Il aperçut au loin, sur sa droite, une construction inachevée et abandonnée. C'était la forteresse volante dont Rob avait parlé.

Le lieutenant passa plusieurs fois au-dessus ; puis, dès qu'il aperçut les jets de sa patrouille, il vira vers le nord.

Les jet-streams

Il existe, haut dans l'atmosphère de la Terre, des courants de vents extrêmement puissants. Ils sont dus à la différence de vitesse entre l'air qui vient de l'équateur, celui de la zone de Rossby et celui qui vient des pôles.

À l'équateur, la surface de la Terre a une vitesse naturelle de 1 674 km/h. Si on reste au sol sans bouger, on ne remarque pas cette vitesse, car l'air suit la Terre dans sa rotation.

Mais en altitude, à cause de la chaleur du Soleil, l'air est transporté vers les pôles. En avançant vers le nord, par exemple, le sol tourne moins vite et l'air acquiert de la vitesse par rapport à lui. Beaucoup de vitesse.

Avant de redescendre et repartir vers l'équateur, l'air donne sa vitesse à des tubes de vents qui encerclent la planète. Ces vents s'appellent les jet-streams. Ils soufflent à plusieurs kilomètres d'altitude.

En général, il existe deux jet-streams par hémisphère, mais les plus puissants sont dans l'hémisphère Nord.

● l'un est subtropical (pas très loin du tropique du Cancer) et à une altitude variant entre 10 et 16 km, suivant le temps.

● l'autre est situé au-dessus du nord de la France (mais il bouge pas mal avec les saisons car il suit le Soleil), à une altitude variant entre 7 et 12 km.

En moyenne, les vents à l'intérieur de ces courants soufflent à environ 300 km/h. Pendant la tempête de 1999, un ballon-sonde a enregistré une rafale à 529 km/h, à 8 km d'altitude au-dessus de la Bretagne.

Les vents des jet-streams soufflent toujours d'ouest en est. Quand c'est possible, ils sont utilisés par les avions pour aller plus vite et économiser du carburant. Ils peuvent raccourcir le temps d'un vol de plusieurs heures !

En allant vers New York depuis Paris, un avion ne peut pas utiliser le jet-stream car il souffle dans la mauvaise direction. Le vol dure environ 8 h 15.

En revenant vers Paris depuis New York, les pilotes peuvent utiliser le jet-stream, et le vol peut alors ne durer que 6 h 50 (1 h 25 de moins) !

Les quatre jet-streams de la Terre

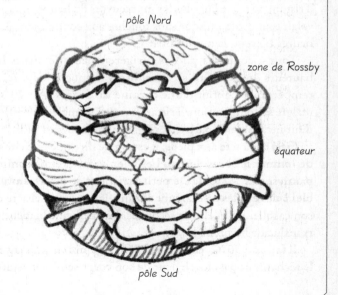

pôle Nord

zone de Rossby

équateur

pôle Sud

Chapitre 8

Le soleil se couchait derrière l'horizon. Des nuages d'orage s'élevaient çà et là de la surface plane et blanche qui dissimulait la terre. Leurs enclumes brillaient d'une lumière violette ; leurs ombres, de larges bandes sombres, zébraient le ciel. Tristam ne regardait plus les manœuvres du lieutenant, qui volait tout droit, presque sans toucher aux commandes. Les heures filèrent, la nuit tomba.

Tout à coup, les pilotes dirigèrent leurs jets vers les hauteurs du ciel. L'air se refroidit. À chaque kilomètre, la température chutait d'une dizaine de degrés. À - 20 °C, malgré sa combinaison, Tristam se mit à trembler ; à - 30 °C, il fut incapable de parler. À - 40 °C, il ne bougeait plus.

Gelé de la tête aux pieds, il essaya de dire quelque chose, de remuer les bras, les jambes… en vain. Il était comme paralysé par le froid. De petits cristaux de glace semblables à des étoiles en diamant se ramifiaient sur la visière de son casque. En quelques secondes, une pellicule blanche et translucide lui cacha la vue.

Il faisait - 50 °C, et même la panique qui l'envahissait ne le réchauffait pas. La chaleur de son corps semblait aspirée par sa combinaison et s'échappait dans l'air. Les battements de son cœur s'amplifiaient à mesure que ses forces l'abandonnaient, comme si le ciel avait décidé de lui prendre toute son énergie. « Lieutenant ! cria-t-il dans sa tête sans que ses lèvres bougent. Aidez-moi ! »

Il ne voyait plus rien.

Soudain, le pendentif de sa mère se mit à chauffer contre sa peau, et la sensation d'un danger imminent remplaça la torpeur due au froid.

À travers la glace qui l'aveuglait à moitié, une image se forma devant lui. Il aperçut une sorte de tube horizontal, où des vents soufflaient avec une puissance extraordinaire et qui se déplaçait dans l'atmosphère. Puis un clic se fit entendre dans son casque, et la vision disparut.

– Tu comptes mourir de froid ? demanda le lieutenant, qui venait de rétablir les communications.

Lentement, la température de combinaison de Tristam remonta, et il se sentit décongeler. La couche de glace sur sa visière fondit.

– Il y a un bouton sur ta ceinture qui permet de s'adapter à la température extérieure. Heureusement que je me suis retourné ! Tu peux me dire merci.

– Vous auriez pu me prévenir !

– Je n'y ai pas songé : je croyais que tu étais un pilote…

Tristam aurait dû être en colère, mais sa vision l'avait mis dans un état d'étrange confusion, similaire à celle qu'il avait ressentie après le contrôle, sur le Blueberry, quand il n'avait pas trouvé son village au-dessus du volcan. Il scruta la nuit, et ne vit aucune trace du phénomène effrayant.

— Nous allons entrer dans le jet-stream, annonça le lieutenant. Accroche-toi !

Ça tombait bien : les mains de Tristam, encore gelées, agrippaient fermement les poignées latérales de la moto des airs et refusaient de lâcher prise. « Au moins, je ne risque pas de dévisser ! » pensa-t-il.

— Tristam ! s'exclama Tom, dont le pilote volait à présent derrière le lieutenant. J'avais raison !

— À quel sujet ?

— Le jet-stream ! Je savais qu'il était impossible d'arriver à Scinty Town à temps sans l'utiliser !

Comme Wahking les entendait, Tristam batailla pour rester concentré. Il devait lui montrer qu'il savait écouter et apprendre.

— C'est quoi, un djet strim, mon lieutenant ?

— Une sorte de courant d'air très puissant, qui fait le tour de la planète en se déplaçant d'ouest en est. Plus tu t'approches de son centre, plus les vents sont rapides.

— Rapides comment ?

— Ils peuvent atteindre 300 km/h, répondit Wahking sans hésiter.

Il continua son explication en l'illustrant d'exemples suffisamment simples pour que Tristam comprenne, mais celui-ci n'écoutait plus. Le policier parlait exactement de ce qu'il avait entrevu ! Il n'en revenait pas. Cela faisait deux fois que cela lui arrivait. « Si ça se trouve, je peux vraiment ressentir l'air moi aussi ! » pensa-t-il, tout joyeux, avant de lever la tête.

Il se souvint à quel point la nuit dépourvue d'étoiles de la Cité Blanche l'avait angoissé. Là, loin de toute pollution, le ciel en était plein. Dans les millions de formes que les étoiles suggéraient, il crut discerner le visage de Myrtille. Elle semblait majestueuse et rayonnante.

Un par un, les engins volants entrèrent dans le jet-stream. Un vent d'une force incroyable les happa, et ils filèrent vers l'est à une vitesse vertigineuse.

Le croissant de lune était déjà haut quand le lieutenant vira vers le sud et sortit du jet-stream. Mais ce n'est qu'aux premières lueurs du jour qu'ils aperçurent les lumières vacillantes d'une ville construite sur un nuage.

Quelques instants plus tard, les pilotes se posaient à distance, derrière une petite colline. Tout le monde descendit. Assis côte à côte, Tristam et Tom regardèrent les hommes du lieutenant monter un camp, puis se regrouper autour de leur chef.

– Bienvenue chez moi ! lança Wahking. À partir de maintenant, n'oubliez jamais que vous êtes entourés d'ennemis.

Chapitre 9

Scinty Town n'était pas impressionnante, même s'il restait quelques signes d'une prospérité passée. Son usine à vent, par exemple, était encore assez puissante pour maintenir une vaste étendue de nuage autour de la ville.

La cité faisait partie du royaume du Centre, mais son isolement relatif avait fait d'elle le refuge des rebelles qui avaient suivi le père de Myrtille. Les années passant, la rébellion avait mené les finances de la ville à la banqueroute, et les habitants, autrefois unis et solidaires, étaient à présent divisés. Une grande majorité d'entre eux souhaitaient mettre fin à toute résistance et vivre des jours paisibles sous le règne du Tyran. Chez ces gens-là, la nouvelle de l'exécution de Myrtille provoqua une grande joie. Ils pensaient que la fille du Nord méritait bien de payer pour son père et que sa mort marquerait la résurrection de leur ville. Lorsque les premiers soldats arrivèrent, ils furent accueillis à bras ouverts.

Mais des rebelles arrivèrent également. Discrets, gardant profil bas, ils trouvèrent refuge auprès d'anciens compagnons d'armes restés fidèles au roi déchu. Ils se mirent à planifier le sauvetage de Myrtille, sans toutefois se faire d'illusions : ils étaient trop peu nombreux et risquaient d'être vite écrasés. Pire encore, une rumeur effrayante se propagea vite parmi eux. On disait que le Tyran manquait d'esclaves et qu'il avait l'intention de capturer autant d'habitants de Scinty Town que possible afin de reprendre la construction de ses terrifiantes forteresses volantes aux frontières de son royaume.

Trois jours s'étaient écoulés depuis l'arrivée de Tristam et de Tom.

Menés par Rob, un petit groupe d'hommes du lieutenant avaient passé leur temps en ville, à glaner des renseignements. Ils apprirent que Myrtille devait arriver dans le parc central quelques minutes à peine avant son exécution. Ils découvrirent aussi que les troupes du Tyran avaient pour consigne de débrancher les installations de l'usine à vent aux premiers signes de soulèvement. Les hommes de Rob qui avaient recueilli cette information avaient été surpris et tués. Lui seul s'en était sorti.

Ainsi, on dénombrait déjà des victimes alors que les combats n'avaient pas commencé.

En apprenant la nouvelle, le lieutenant, pourtant si enclin à se plaindre, ne dit rien. Il alla chercher Tristam et Tom et leur dessina une carte de la ville. Le doigt posé sur une maison à l'ouest du parc, il leur annonça :

– Vous faites maintenant partie de l'équipe. Le sauvetage de Myrtille dépendra de vous. Dès qu'elle aura échappé à ses gardes et vous aura rejoints, vous la conduirez ici. Des hirondelles et leurs pilotes vous attendront derrière cette maison. Ils vous transporteront en lieu sûr. Bonne chance.

Le jour désigné pour l'exécution de Myrtille, l'aube se leva lentement. Les deux amis étaient assis en haut d'une petite colline surplombant le parc central de la ville, quasiment invisibles dans leurs tenues de camouflage blanches. En contrebas, des centaines de curieux s'attroupaient déjà autour d'un trou creusé dans le nuage. Mêlés à la foule, les espions du Tyran étaient en place. Le piège sautait aux yeux.

Les garçons étaient tendus. Depuis leur départ du Blueberry, ils n'avaient cessé d'être trimballés d'un endroit à un autre. Les choses avaient maintenant changé : ils faisaient à présent partie d'un plan de bataille.

— Qu'est-ce qu'il fabrique ? chuchota Tom pour la centième fois.

Ils attendaient Rob, qui devait les survoler avec sa moto pour annoncer l'arrivée de Myrtille. À ce moment-là, et à ce moment-là seulement, ils étaient censés descendre sur la place et se mêler aux habitants sans se faire remarquer.

— Mais qu'est-ce qu'il fiche ? continua Tom. C'est complètement idiot, on devrait être en contact radio !

— Arrête, tu me stresses !

— Et si Rob ne vient pas ? Et s'il passe trop loin pour qu'on le voie ?

— Tu vas te taire, à la fin ?

— Et si on ne court pas assez vite ?

À cet instant, un jet fila au-dessus d'eux.

— C'est lui ? demanda Tom en essayant de reconnaître le pilote, qui descendit vers la place et s'y posa.

— Je ne crois pas, répondit Tristam.

Cinq autres appareils jaillirent de derrière la colline où étaient postés les deux garçons. Ils atterrirent, à côté du premier.

Les pilotes sautèrent à terre et installèrent une barrière autour du trou creusé dans le nuage. Puis ils fixèrent une planche au sol, en la faisant dépasser au-dessus du vide, tel un plongeoir surplombant une piscine fumante sans fond.

Les deux amis regardaient la scène avec anxiété lorsqu'un bourdonnement dans l'air attira leur attention. Ils se retournèrent. Des centaines et des centaines de jets de toutes les tailles noircissaient le ciel.

Chapitre 10

— Catastrophe ! s'exclama Tom. Rob n'y arrivera jamais !
Tu crois que le lieutenant s'attendait à ça ?

Tristam, qui en doutait fort, ne répondit pas. Il regardait, effrayé, les jets du Tyran passer par groupes de dix
au-dessus de leurs têtes. Certains, très gros, transportaient
jusqu'à trente soldats, tous armés jusqu'aux dents. Tristam
et Tom n'avaient pas pensé qu'il puisse en exister autant.

— T'as vu ? lâcha Tristam, en montrant un groupe de
soldats postés à l'extérieur de la ville.

— On dirait qu'ils fabriquent une usine à vent.

— Tu crois ? Mais y en a déjà une ! Pourquoi en construire
une autre ?

— Et si Rob était mort ? paniqua Tom.

— On y va ! décida Tristam, qui préférait ne pas penser à
cette éventualité.

Ils ôtèrent leurs tenues de camouflage et descendirent
discrètement. Alors que, sacs sur le dos, ils se mêlaient à la
foule agitée, un avion-cargo escorté de huit libellules survola
le public et se posa à côté du cercle central. La nouvelle se

répandit comme une traînée de poudre : les condamnés étaient arrivés.

Cinquante soldats équipés d'arbalètes capables de tirer cinq flèches à la fois sautèrent au bas du cargo et pointèrent leurs armes sur la foule. Puis apparut Myrtille, menottée et enchaînée à un soldat.

— Elle est là, murmura Tristam, le cœur battant à cent à l'heure.

Derrière la princesse, quatre autres captifs quittèrent l'aéronef. Le dernier à en émerger résistait avec violence malgré la camisole de force qui entravait ses mouvements, au point qu'il fallut dix soldats pour le maîtriser.

— Traîtres ! hurla la foule surexcitée.

— Longue vie au roi !

Les yeux rivés sur Myrtille, Tristam ne sentit pas son ami se raidir près de lui.

— C'est mon père…, gémit Tom en désignant l'homme en camisole. Il faut qu'on change le plan !

— Oh non…

Soudain, tout le monde se tourna : quelqu'un avançait vers le centre de la place, entouré de soldats. Sa cape sombre ornée de nuages blancs brodés flottait au vent.

— Un Blizzard…, murmurèrent les gens.

À cet instant, un événement imprévu fit pivoter les têtes. Myrtille, la fille du roi du Nord, se mit à crier à pleins poumons :

— C'est un piège ! Fuyez ! Ne tentez pas de m'aider, je vous en supplie !

Furieux, le soldat lui plaqua une main sur la bouche pour la faire taire. Ignorant Myrtille, le Blizzard marcha vers la barrière installée autour de la planche des suppliciés. Il grimpa les marches de l'estrade élevée à côté et jeta un coup d'œil à faire froid dans le dos au garde de la princesse avant de s'adresser à la foule.

— Autrefois, nous vivions dans la paix et la liberté, commença-t-il d'une voix glaciale. Mais Landow le traître, le roi déchu du Nord, a détruit tout cela. Il y a douze ans, notre glorieux roi a écrasé sa minable armée, mais cela n'a pas suffi à Landow. Tel un serpent venimeux, il a continué d'intoxiquer le cerveau des faibles et des crédules. Ce démon a déclenché une guerre civile et provoqué la mort de milliers d'innocents. Il est temps de faire en sorte que ce bain de sang ne se reproduise plus.

La foule s'agita. Les mots du Blizzard trouvaient un écho dans la colère de chacun, dans leur besoin de punir les responsables de leur existence misérable. Affaiblis par des années de privations, le cerveau lessivé par la propagande du Tyran, ils huèrent le nom de Landow et scandèrent : « Mort aux traîtres ! »

Le discours du Blizzard avait porté ses fruits. Tristam et Tom sentirent la folie se propager dans la foule.

— Aujourd'hui, ce lâche a disparu, mais d'ignobles individus souhaitent encore du mal à notre royaume, et ils ont hâte de suivre la fille de ce traître. Ces gens-là sont vos ennemis.

Tristam se tourna vers Tom.

— Il faut qu'on prévienne le lieutenant ! Il doit savoir que ton père est là.

Les lèvres tremblantes, complètement perdu et incapable de prendre la moindre décision, Tom observait son père qui luttait avec les soldats.

Le Blizzard leva les bras au ciel.

— Mais le traître a échoué ! hurla-t-il. Nous avons capturé sa fille ! Nous avons capturé le pseudo-colonel qui la protégeait ! Nous avons capturé trois gouverneurs qui essayaient d'aider les rebelles !

— Hourra ! cria la foule. Vive le roi !

On détacha Myrtille, et les cinq prisonniers furent poussés vers le cercle de la mort. Du bout de leurs piques acérées,

les soldats firent avancer un des prisonniers sur la planche. Celle-ci, qui n'avait que quelques centimètres d'épaisseur, ployait sous le poids du malheureux. Les volutes de vapeur blanche venaient lécher ses pieds.

La foule se déchaînait.

— Mort aux traîtres ! Mort aux traîtres !

— Gouverneur, lança le Blizzard. J'espère que vous ferez de meilleurs choix dans l'au-delà.

Les mains attachées dans le dos, sans regarder le trou sous lui, le prisonnier ne bougeait pas. Il refusait d'avancer. Soudain, la planche s'inclina. Le supplicié allait perdre l'équilibre et tomber dans le vide quand des cris s'élevèrent dans la foule.

Chapitre 11

Une vague de panique parcourut les spectateurs. Une demi-douzaine de motos des airs transportant un pilote et un passager passèrent en rase-mottes au-dessus des têtes et foncèrent vers les prisonniers.

– C'est le lieutenant ! s'écria Tristam. Vite, à notre point de rencontre !

Il prit Tom par le bras et l'emmena vers la maison que Wahking avait indiquée sur la carte.

Le dos tourné, ils ne virent pas les engins s'approcher du cercle et les hommes du lieutenant attraper les prisonniers par le col et les soulever dans les airs.

– Ne tirez pas tant qu'ils survolent la foule ! ordonna le Blizzard à ses hommes. Il me faut tous les habitants vivants, sa Majesté a besoin d'esclaves.

Les soldats attendirent que les rebelles s'éloignent. Dès que ce fut le cas, les flèches se mirent à fuser.

Sans avoir été atteint, un homme du lieutenant était en difficulté. Il tenait le colonel Briggs par le col de sa camisole, qui lui glissait des doigts. Il fit un effort surhumain pour ne pas lâcher prise, mais perdit l'équilibre et chuta avec le prisonnier. Les deux hommes roulèrent par terre. Les mains liées, le père de Tom essayait de se relever ; en vain. Tom s'élança vers lui sans que Tristam puisse faire quoi que ce soit pour le retenir.

Les quatre autres motos se séparèrent soudain et partirent dans toutes les directions. L'une d'elles fit demi-tour et se dirigea vers Tristam qui, impuissant, regardait son ami se jeter dans la gueule du loup. Quelques secondes plus tard, le jet déposait Myrtille avant de repartir au combat.

– Tristam ! s'écria la jeune fille. Noooon ! Va-t'en ! C'est un piège !

– Je sais ! dit Tristam sans bouger d'un pouce.

Le pendentif de sa mère s'était mis à chauffer ; le garçon eut une impression étouffante de danger imminent. Il regarda autour de lui pour en identifier la source et vit qu'un nuage vertical était apparu au-dessus de la cité. Il gonflait à vue d'œil.

– Tristam ! Va-t'en ! hurla Myrtille de nouveau.

Il ne répondit pas. Tom venait de rejoindre son père. Le rebelle qui avait chuté avec le colonel se jeta sur les soldats pour faire diversion. Tom aida son père à se relever et ils se mirent à courir vers Tristam. Celui-ci lança à Myrtille : « Suis-moi ! » et se précipita vers le point de rendez-vous, situé quelques pâtés de maisons plus loin.

Ils fonçaient comme des fous à travers les rues désertes. Il ne leur restait plus qu'une cinquantaine de mètres à faire quand une flèche se ficha dans un toit à leur droite. À son extrémité était attaché un câble en cuivre qui montait vers le ciel. Tristam sentit ses cheveux se dresser sur sa tête et, avant qu'il ait le temps de réagir, la foudre s'abattit sur le toit. Les deux enfants furent projetés sur le sol. Le tonnerre gronda.

— Myrtille ! Ça va ? souffla Tristam en se relevant.

Sonnée, recouverte de poussière, elle hocha la tête et se remit debout. Tristam jeta un regard par-dessus son épaule : Tom et son père les rattrapaient peu à peu. Une nouvelle flèche reliée au nuage se planta dans le sol devant eux, sans exploser. La sensation de danger décupla dans le ventre de Tristam. Il vit les cheveux de Myrtille se dresser sur sa tête.

— Accroupis-toi ! lui ordonna-t-il. Garde les deux pieds bien à plat !

Un éclair fila le long du câble à une vitesse fulgurante et frappa le sol, qui se fissura. Le brouillard accumulé en dessous remonta aussitôt à la surface. Puis vint le tonnerre, assourdissant, qui fit trembler tous les os de leur corps.

Tristam se retourna et comprit que Tom avait eu raison : les hommes du Tyran avaient bel et bien construit une nouvelle usine à vent ! Mais ce n'était pas pour renforcer la surface : ils avaient créé un nuage énorme, vertical, avec un sommet en forme d'enclume. C'est de là que fusaient les flèches provoquant la foudre. Le Tyran guidait les éclairs à l'aide de câbles en cuivre. Il avait transformé le plus puissant des nuages en une arme de guerre !

Tristam se releva et aperçut les trois motos sur lesquelles ils étaient censés s'enfuir. Entraînant Myrtille par le bras, il contourna la fissure dans le sol et courut vers elles.

Le plan de Wahking avait presque fonctionné. Presque, car une des hirondelles avait été touchée. Les deux autres semblaient intactes, mais les pilotes n'étaient pas là.

Tristam grimpa dans l'un des appareils épargnés par la foudre, alluma le moteur comme il avait vu faire, pour que Tom trouve l'engin prêt à décoller. Ensuite il se rua vers l'autre.

— Je prends les commandes, annonça Myrtille en s'installant devant.

— Pas question ! Tu ne sais même pas piloter !

Elle empoigna les manettes de pilotage, et l'hirondelle se souleva de quelques centimètres.

— Tu sais piloter !? s'exclama Tristam.

— Monte vite, arrête de faire l'idiot.

– Il faut qu'on attende Tom ! s'écria Tristam en s'asseyant derrière elle.

Mais la meute de soldats qui poursuivait le père et le fils les rattrapait déjà !

– Ils n'y arriveront pas, gémit la jeune fille.

– Et moi, je te dis qu'ils y arriveront. On les attend ! Tom ! Alleeeeez ! s'époumona Tristam.

À cet instant, un soldat saisit Tom par le bras. Le garçon essaya de se libérer ; en vain.

Son fils capturé, le colonel Briggs s'arrêta. Les militaires lui bondirent dessus et le plaquèrent au sol.

Ils ne pouvaient plus rien pour les Briggs. Myrtille décolla, la mort dans l'âme.

– Toooooooommmm ! hurla Tristam sans voir que, volant en rase-mottes, des dizaines de jets fondaient droit sur eux.

Chapitre 12

À la grande surprise de Tristam, Myrtille savait parfaitement piloter. Après avoir décollé, elle inclina le jet et fit demi-tour. Ils survolèrent Tom et son père, encerclés par une bonne vingtaine de soldats.

— On va où ? demanda Myrtille. Il y a des renforts ?

— On est seuls, murmura Tristam. Il n'y a pas de plan.

— Mais vous êtes complètements fous ! Qu'est-ce qu'on va faire ? Si on se fait prendre, tout est fichu !

— Rien n'est fichu ! cria Tristam. On va se battre !

— Si on s'en sort, on aura une monnaie d'échange, dit Myrtille sans que Tristam l'entende. Je pourrai proposer ma vie contre celle de Tom…

Elle survola la place où devait avoir lieu son exécution. Les soldats du Tyran étaient partout, visant le ciel avec leurs arbalètes. Myrtille tira sur les manettes, et la moto s'éleva plus haut, hors de portée des flèches. Les citadins avaient quitté les lieux pour se réfugier dans les maisons que les éclairs continuaient de frapper, suivis de tonnerres assourdissants.

Autour du nuage d'où partait la foudre, le ciel était d'un bleu limpide. Myrtille scrutait les parages, désespérée :

aucun endroit où se cacher, et les jets lancés à leur poursuite les rattrapaient déjà.

Baissant les yeux vers Scinty Town, Tristam vit des hirondelles décoller des toits que la foudre n'avait pas encore détruits. En quelques manœuvres, les engins s'interposèrent entre les pilotes du Tyran et eux.

– Des renforts ! s'exclama Tristam. On n'est pas tout seuls !

Myrtille poussa un soupir de soulagement : même si leurs alliés n'étaient pas nombreux, ils pouvaient leur faire gagner du temps. Elle inclina la moto sur la droite et accéléra pour s'éloigner aussi vite que possible de la ville maudite.

– Cherche un endroit où le sol paraît naturel ! demanda-t-elle à Tristam. Je voudrais….

Elle s'interrompit, effrayée : depuis l'enclume du nuage à foudre, une escouade de jets du Tyran piquait sur eux. Elle refit demi-tour et se dirigea vers la base du nuage orageux. Le cristal de Tristam se mit à chauffer.

– Qu'est-ce que tu fais ? s'écria le garçon en tirant sur son collier à travers sa combinaison.

– On n'a pas le choix, répondit Myrtille. Si on veut s'en sortir, il faut qu'on traverse le nuage.

– Mais c'est de la folie ! s'exclama Tristam.

– C'était de la folie de venir me chercher, répliqua Myrtille.

Zigzaguant entre les éclairs qui s'abattaient sur la ville, le lieutenant Wahking et ses hommes luttaient avec acharnement. Ils avaient réussi à rejoindre les rebelles et protégeaient les arrières des deux évadés avec rage.

Voyant Myrtille et Tristam foncer vers l'énorme nuage blanc, ils poussèrent un cri d'épouvante : de mémoire d'homme, jamais personne n'était sorti vivant d'une traversée d'un nuage à orage.

— Je lui ai pourtant dit de ne pas s'en approcher ! hurla le lieutenant, horrifié, juste avant qu'ils ne disparaissent dans les remous du monstre électrique.

Il donna un signal à ses hommes et plongea vers Scinty Town. Aussitôt, les deux motos restantes des forces de police de la Cité Blanche le suivirent. Quelques instants plus tard, elles traversèrent, l'une après l'autre, le sol de la ville là où la foudre l'avait fendu. Parmi les pilotes de la flotte du Tyran, seuls les meilleurs parvinrent à les imiter. Les autres s'écrasèrent au sol, bouchant avec les débris de leurs jets le passage qu'ils avaient tenté d'emprunter.

Chapitre 13

Une fois dans le nuage terrifiant, Myrtille et Tristam crurent suffoquer. Aveuglés par un épais brouillard humide et gris, malmenés par des vents turbulents qui gagnaient en force à chaque seconde, ils perdirent bientôt tout sens de l'orientation.

Le monstre dans lequel ils venaient de pénétrer était d'une puissance qu'ils n'avaient jamais imaginée.

Myrtille se souvint de la pluie torrentielle et des grêlons qui matraquaient l'océan sous le palais du Tyran, et comprit que ce déluge devait prendre naissance dans les entrailles du nuage. Elle aurait voulu en parler à Tristam, mais les vents ascendants soufflaient tellement fort qu'il leur était impossible de communiquer.

Sans savoir qu'ils se dirigeaient vers le cœur du nuage, l'endroit où les vents sont les plus terribles, celui où les gouttes de pluie grossissent et deviennent des balles glacées, Tristam se colla contre Myrtille pour qu'elle ne tombe pas.

Loin, très loin sous eux, il y avait la surface de la Terre. Au-dessus, il y avait le Tyran.

Des gouttes d'eau à moitié gelées se mirent à les marteler. Myrtille, qui n'avait pas de combinaison, en ressentait les impacts glacés sur la peau nue de ses bras et de ses jambes. Elle leva les mains pour se protéger la tête. Aussitôt, Tristam enleva son casque pour le lui donner. Un grêlon de la taille d'un poing frappa dedans, et le casque lui échappa des mains.

Un deuxième grêlon, plus gros encore, heurta de plein fouet l'aile droite de leur moto, qui vola en éclats. Tristam agrippa Myrtille plus fort au moment où le choc les éjectait de leurs sièges. Les vents étaient tellement puissants que les deux enfants continuèrent à monter. L'engin démoli disparut au milieu des éléments déchaînés.

Ils étaient à six mille mètres au-dessus de la Terre lorsque les vents faiblirent un peu. L'estomac noué, incapables de respirer, ils entamèrent une chute vertigineuse.

Ils ne voyaient rien. Ils tourbillonnaient en tombant de plus en plus vite ; ils s'attendaient à tout instant à heurter la surface de la Terre pour la première − et la dernière − fois de leur vie.

Puis leur vitesse diminua, et ils reprirent leurs esprits. Tristam tenait Myrtille contre lui aussi fort qu'il le pouvait, essayant tant bien que mal de protéger ses membres nus.

Ils ne devaient plus être loin de la base du nuage lorsqu'une bourrasque de vent ascendant les emporta de nouveau. Plus ils remontaient, plus les gouttes gelées grossissaient ; on eût dit des boules de glace.

Pour une raison qui leur était inconnue, le vent s'amplifia encore, les propulsant vers le haut à une vitesse folle. Leurs oreilles se mirent à siffler. La température chuta encore. Au bout d'une ascension de plusieurs kilomètres, le vent s'arrêta d'un seul coup.

Ils tombèrent, cernés par des millions de boules de glace de la taille d'un poing. La foudre éclata, les aveuglant de flashs bleus et blancs pendant que les craquements du tonnerre semblaient briser l'air lui-même.

Agrippés l'un à l'autre, ils passèrent une demi-heure à monter et descendre ainsi dans les entrailles du plus violent nuage de la Terre, telles des plumes malmenées par la tempête.

Complètement désorienté, aveuglé, ne sachant plus si sa tête était en haut ou en bas, s'il était en train de monter ou de descendre, Tristam ferma les yeux. Il sentit Myrtille glisser sa main dans la sienne. De tous ses sens, il ne lui restait que le toucher. Il ne voyait plus les éclairs, n'entendait plus le grondement de l'orage. Son cœur cognait contre sa poitrine plus fort encore que lorsque leur moto avait explosé. Le monde entier s'était réduit à la main de Myrtille. Son amie ouvrait et fermait les doigts, comme si elle voulait lui dire quelque chose. Elle finit par le pincer.

Il ouvrit les yeux.

Ils étaient sortis du nuage et tombaient avec la grêle vers la surface de la Terre.

– Tiens-toi à moi aussi fort que tu peux ! cria Tristam avant de tirer sur les deux ficelles qui pendaient de part et d'autre de son sac à dos. On va s'en sortir !

Le sac s'ouvrit d'un coup, et une aile se déplia.

Quelques secondes plus tard, ils glissaient dans l'air, s'éloignant de l'orage meurtrier.

Chapitre 14

La surface de la Terre, couverte d'arbres, n'était plus qu'à une centaine de mètres. Tristam la regardait s'approcher : saurait-il se poser ?

Il vit une colline sur le flanc de laquelle s'étendait une clairière.

En tirant légèrement sur les ficelles, il se rendit compte qu'il pouvait diriger l'aile. Un frisson de plaisir lui parcourut le corps. Il volait ! Il volait comme un oiseau !

— Yiiiiiihhaaaaaa ! hurla-t-il en essayant de manœuvrer de façon à reprendre de la hauteur et ralentir.

Malheureusement, l'aile accéléra encore, et continua tout droit. Son cri de joie se transforma en un gémissement alors qu'ils fonçaient vers la clairière.

Ils heurtèrent le sol et roulèrent sur une surface beaucoup plus molle que ce à quoi Tristam s'était attendu.

La clairière était recouverte d'une épaisse couche de boue mélangée à de la cendre. Quand ils s'arrêtèrent enfin, Tristam se retrouva la tête enfoncée dedans.

— Tristam ! Ça va ? demanda Myrtille en se relevant.

Elle le tira par les épaules pour lui permettre de respirer.

À moitié étouffé, il avala une grande bouffée d'air avant d'ouvrir les yeux. Dans une situation moins dramatique, Myrtille aurait pouffé à la vue de son visage couvert de boue.

Tristam s'assit, vérifia s'il n'avait rien de cassé, posa ce qui restait de son sac à dos et se mit debout.

– On a réussi ! cria-t-il. Je sais voler !

Il attrapa les bras de Myrtille et la fit tournoyer, fou de joie.

– On a réussi ! répétait-il, accompagné par les exclamations de soulagement de son amie.

Ils n'en revenaient pas d'être en vie.

– On est sur la Terre, murmurait Myrtille, sur la Terre… On ne peut pas rester là…

– Et pourquoi pas ? demanda Tristam en regardant autour de lui.

Comme la végétation leur cachait la vue, ils grimpèrent sur un rocher pour observer la vallée qu'ils venaient de survoler.

Entourée d'arbres aux reflets vert brillant, une rivière coulait au milieu. Ils suivirent des yeux sa ligne bleue qui serpentait calmement entre les collines et les montagnes, emportant l'eau du ciel vers l'horizon. Myrtille se rappela ses cours et songea au fleuve lointain qui allait mener jusqu'à la mer le fruit de la fureur du Tyran.

Elle leva les yeux vers le ciel sombre et pensa à son père. Peut-être qu'il s'en était sorti comme eux, après tout. Peut-

être qu'il n'était pas blessé ! La surface de la Terre n'avait pas l'air aussi dangereuse que ce que l'on disait.

– Regarde ! cria soudain Tristam en indiquant de petits points noirs qui bougeaient sous la base menaçante des nuages.

Ils plissèrent les yeux pour mieux voir. On aurait dit un essaim de guêpes s'attaquant sans pitié à trois petits insectes d'une agilité exceptionnelle. C'étaient trois motos de la Cité Blanche, poursuivies par les jets du Tyran ! Les alliés de Myrtille étaient des pilotes hors pair. Les deux enfants virent plusieurs engins ennemis s'écraser sur la plaine sans qu'aucune des hirondelles ne soit touchée.

Soudain, l'une d'elles se mit à fumer, piqua vers le sol et disparut derrière une colline. Les deux autres changèrent de

stratégie et tentèrent de s'enfuir, se dirigeant vers l'endroit où se tenaient Myrtille et Tristam.

Ils poussèrent un gémissement lorsqu'une deuxième hirondelle s'écrasa dans une boule de feu.

Ils se cachèrent sous un arbre et suivirent des yeux la dernière en retenant leur souffle. Quand elle passa au-dessus de leurs têtes, Tristam reconnut le lieutenant Wahking. Huit jets du Tyran étaient à ses trousses.

Le lieutenant fit un looping et se retrouva derrière ses poursuivants. Il tira et trois engins ennemis s'enflammèrent.

Tristam s'agitait, au comble de l'excitation, comme s'il était en train de piloter lui-même.

– ALLEEEZ, LIEUTENANT! s'époumonait-il.

Un nouveau jet du Tyran, touché, plongea vers le sol, puis un autre.

– Allleeezz ! Plus que trois ! À droite !

Wahking réussit à en descendre encore un.

– Attention ! hurla Tristam d'une voix cassée. Sur votre gauche !

Au moment où il repassa au-dessus des deux enfants, de la fumée apparut à l'arrière de la moto du lieutenant. Il avait été atteint ! L'engin, déstabilisé, perdait de l'altitude. Quelques secondes plus tard, un panache de fumée s'éleva de l'endroit où il s'était écrasé.

La bataille aérienne était terminée.

Les jets du Tyran survolèrent plusieurs fois le lieu du crash ; puis le bourdonnement de leurs moteurs s'éloigna et ils disparurent à l'horizon, laissant derrière eux un silence terrible.

Myrtille et Tristam, anéantis, n'osaient pas parler. Ils tremblaient de tout leur corps.

Un bruit de branches cassées les tira soudain de leur torpeur. Ils se retournèrent, effrayés.

Entre deux troncs apparut une silhouette recouverte de boue.

Le lieutenant !

– Je me disais bien que je t'avais entendu crier, fit-il à Tristam en s'approchant d'eux comme s'il s'était baladé dans la forêt.

Il examina le ciel. Puis fixa Myrtille du regard d'un homme qui sait que la situation est désespérée, mais qui croit encore au miracle.

– Bon, maintenant, il faut trouver un abri, lança-t-il. Suivez-moi.

Chapitre 15

Pendant des heures, Tristam suivit Wahking à travers la forêt en silence, n'écoutant qu'à moitié les réponses que le lieutenant donnait aux questions de Myrtille.

Il l'entendit néanmoins dire que la plupart des pilotes de la Cité Blanche s'en étaient probablement sortis sans trop de dégâts, car ils étaient tous entraînés à s'éjecter de leurs appareils en difficulté. C'était une bonne nouvelle, mais Tristam ne pouvait oublier que Tom, lui, avait été capturé.

Ils arrivèrent dans une partie de la forêt que le lieutenant jugea propice à l'installation d'un campement.

Il tailla des branches, qu'il tendit ensuite aux deux enfants en leur expliquant comment construire une petite cabane.

De temps en temps, le grondement du tonnerre leur rappelait la bataille qui venait d'avoir lieu ; cependant, l'orage s'éloignait, signe que le Tyran était parti. Libéré de son emprise, le nuage à éclairs dérivait, poussé par les vents, et martelait la terre de pluies torrentielles. Puis, s'étant vidé de son eau, il se dissipa, et le ciel redevint calme.

La cabane terminée, Myrtille s'assit contre un arbre et regarda avec curiosité la nature sauvage dont elle ne connaissait pas la moindre plante.

Allongé sur une couche de feuilles, le lieutenant regardait le ciel à travers la cime des arbres.

– Ce n'est pas le moment de faire une sieste, déclara-t-il. On ne va pas tarder à se faire arroser.

« Tant mieux », pensa Myrtille, qui trouvait qu'il faisait très chaud. Tristam, resté debout, semblait perdu dans ses pensées.

– À quoi tu penses ? lui demanda-t-elle. Tu n'as pas dit un mot depuis tout à l'heure.

– Il ne va pas pleuvoir, murmura Tristam.

Intrigué par cette réponse, le lieutenant releva la tête.

– Mais ce n'est pas ça qui m'ennuie, continua le garçon, elle est bizarre, cette forêt. On ne peut pas rester là. Et puis, il faut qu'on aille sauver Tom.

– Il y a beaucoup de forêts comme celle-ci ? voulut savoir Myrtille.

– Non, il n'y en a presque plus.

– Vous la connaissiez déjà ? continua la jeune fille.

– Oui, acquiesça le lieutenant. Quand j'étais enfant, je l'observais souvent depuis mon nuage avec la lunette de mon père. Il y avait plein d'animaux à l'époque. Maintenant, il n'y a plus que des insectes.

Même s'il répondait à Myrtille, Wahking ne quittait pas Tristam des yeux. Le fils de Mme Drake semblait réellement perturbé. Le lieutenant se reprocha de les avoir emmenés, lui et Tom, à Scinty Town. Il allait promettre au garçon qu'il essaierait de retrouver Tom lorsqu'une idée lui traversa soudain l'esprit. Pour la première fois depuis longtemps, son visage prit quelques couleurs. « Serait-il possible que ce petit… », songea-t-il en se levant, le cœur battant.

– Pourquoi n'y a-t-il plus d'animaux ? demanda Myrtille sans remarquer le trouble du policier.

– Les animaux ont besoin d'espace, répondit Wahking machinalement. Cette forêt n'est plus qu'un petit bois. Tout le reste a été détruit.

Tristam fixa le lieutenant, qui s'approchait de lui, puis la forêt, puis de nouveau le lieutenant.

– Détruit ? finit-il par lâcher. Mais… comment ? Par qui ? Elle a l'air en forme, cette forêt…

Myrtille le dévisagea comme s'il venait d'une autre planète.

– Qu'est-ce qu'il y a ? Pourquoi vous me regardez comme ça ?

– Il n'a jamais été très bon élève, chuchota Myrtille à Wahking.

– Réponds-moi franchement, fit celui-ci en posant les deux mains sur les épaules de Tristam. Pourquoi tu crois qu'il ne va pas pleuvoir ?

– Euh…, commença Tristam. J'ai dit ça comme ça…

– Réponds !

– Je… je ne sais pas… Je… je le sens. Voilà. Je ne peux pas l'expliquer, fit Tristam en jetant un regard embêté à Myrtille.

Il craignait que son amie ne se moque de lui. Mais la princesse l'écoutait avec le plus grand sérieux.

– Ça t'est déjà arrivé ? demanda le lieutenant.

– Oui, répondit Tristam en baissant la tête.

– Raconte.

Tristam hésitait à parler par peur du ridicule. Mais comme Wahking avait l'air de vraiment y tenir, il se lança.

— Deux fois, murmura-t-il. La veille de l'attaque du Blue-berry, j'ai eu une sorte de vision. L'île et le volcan étaient là. Le ciel était couvert de nuages très hauts, et très blancs. Mais il n'y avait pas le Blueberry. C'était comme si… comme si j'avais vu ce qui allait se passer le lendemain…

Myrtille se figea.

— Pourquoi tu ne l'as pas dit ? s'écria-t-elle. On aurait peut-être pu sauver tout le monde !

— Comment voulais-tu que je sache que c'était vrai ? C'est arrivé pendant le contrôle, en plus ! Je ne pouvais rien dire. J'ai regardé le ciel après : il était bleu ! Alors, j'ai cru que je m'étais trompé. Je n'avais jamais réussi à ressentir l'air comme vous le faites tous.

— Et la deuxième fois ? demanda le lieutenant.

— Quand on volait vers Scinty Town, j'ai vu le djet-strim bien avant qu'on n'entre dedans.

— Tu savais ce qu'était le jet-stream ?

— Non, je ne sais même pas comment ça s'écrit.

Le lieutenant lâcha les épaules de Tristam et recula, l'air bouleversé.

— Qui sait que tu en es capable ? souffla-t-il, comme si c'était une question de vie ou de mort.

— Que je suis capable de faire quoi ?

— De prédire le temps !

— Ah bon ? Je peux prédire le temps ?

— Qui le sait, à part toi ?

— Personne, répondit Tristam, déçu.

Il aurait aimé pouvoir ressentir l'air et les vents, comme les autres. « Prédire le temps…, pensa-t-il. Pfff ! C'est n'importe quoi ! »

— Est-ce que ça sert pour être un bon pilote, de prédire le temps ? se renseigna-t-il toutefois.

Wahking ne répondit pas. Il avait repris sa tête d'enterrement et marchait en rond, concentré. Une minute passa, puis cinq, puis dix. Tristam ne bougeait pas. Il se sentait un peu coupable.

Myrtille s'approcha de lui.

— Tu es sûr qu'il ne va pas pleuvoir ?

Tristam hocha la tête.

— Viens, fit-elle, allons voir ce qui reste de cette forêt.

Au bout de quelques pas, elle lui dit avec douceur :

— Tu n'as rien à te reprocher, Tristam. Si tu avais su de quoi tu es capable, tu aurais prévenu les autres. Personne n'en doute.

Quelques aspects du réchauffement climatique

Les scientifiques savent que le réchauffement de notre planète est lié à l'activité humaine. D'année en année, ils observent une augmentation des températures moyennes de l'air et des océans et savent que cela est en partie dû aux émissions de gaz à effet de serre.

● Plus l'air est chaud, plus il peut contenir de vapeur d'eau.

● Les tempêtes, les cyclones, les orages et les pluies (quand il y en a) deviennent beaucoup plus violents et dévastateurs.

● Les vagues de canicule extrême, les inondations et les périodes de sécheresse sont plus fréquentes.

● Les déserts deviennent encore plus secs ; les zones humides deviennent encore plus humides.

● Les espèces animales qui ne s'adaptent pas au réchauffement disparaissent.

● Des maladies se déplacent et menacent des populations nouvelles.

● L'agriculture devient moins productive.

● L'accès à l'eau potable devient encore plus difficile qu'aujourd'hui pour la plupart des populations de la planète.

● Les glaces du Groenland, de l'Arctique, de l'Antarctique et des glaciers fondent et entraînent une montée des eaux des mers et des océans. À partir de 3 °C de réchauffement, 30 % des marécages côtiers de la planète sont engloutis.

● Les coraux disparaissent et toutes les espèces animales qui en dépendent sont menacées.

● Les courants marins changent. Cela perturbe la vie dans les océans et la circulation des courants dans l'air.

Chapitre 16

En marchant entre les arbres, Myrtille raconta à Tristam ce qui lui était arrivé lorsqu'elle avait rencontré le Tyran. Elle lui parla du cyclone et de la folie de cet homme qui ne cachait aucune de ses émotions.

— Tu avais décidé de mourir ? demanda Tristam, sidéré.

— Oui, et j'ai ressenti quelque chose d'étrange. C'était comme si j'avais vu mon propre corps en transparence.

Tristam la regarda en se disant qu'il y avait décidément beaucoup de choses qu'il ne comprenait pas... Il aurait aimé que Tom soit avec eux et qu'il leur explique tous ces mystères. À supposer qu'il ait des réponses à ces questions étranges...

Ils grimpaient depuis quelque temps déjà et n'allaient plus tarder à atteindre le sommet de la colline.

— Tu sais, continua Myrtille, j'ai parlé à ta mère après t'avoir raccompagné chez toi, la veille de l'attaque.

— Je ne me souviens pas de grand-chose, fit Tristam. Je crois que je m'étais endormi.

— Que faisait-elle quand elle vivait dans le royaume du Centre, avant d'arriver sur le Blueberry ?

— Elle ne m'en a jamais parlé. C'est bête, hein ? Tu lui as demandé ?

— Non, mais, à mon avis, elle vivait dans un château.

— Dans un château ? Mais non !

— Si, j'en suis sûre.

Ils arrivèrent au sommet de la colline et la vue qui s'offrit à eux leur fit froid dans le dos.

La forêt était complètement dévastée. La moitié des arbres étaient couchés, déracinés ; les autres avaient perdu leurs feuilles. Les troncs, gris et malades, se dressaient comme des pieux dans ce paysage désolé. Le sol était recouvert de plantes vertes aux feuilles énormes et inquiétantes.

— Mais… qu'est-ce qui s'est passé ici ? souffla Tristam. Qui a fait ça ?

— Nous, répondit le lieutenant dans leur dos d'une voix d'outre-tombe. Les hommes.

Myrtille et Tristam se retournèrent. Wahking était là, adossé à un arbre, comme s'il les attendait.

— Vous nous avez suivis ? demanda Myrtille.

— Vous pensiez peut-être que j'allais vous laisser vous perdre, alors que mes hommes se sont battus pour vous ?

— Qu'est-ce qui s'est passé ? insista Tristam. Pourquoi on a détruit la forêt ?

— Pourquoi ? répéta le lieutenant. Mais parce que les gens sont fous, tout simplement !

— Les hommes ont brûlé presque tous les arbres de la planète, expliqua Myrtille qui, elle, avait écouté les cours de M. Azul. Et ils ont utilisé tellement de pétrole que le dioxyde de carbone a déréglé l'atmosphère, et tout est devenu beaucoup, beaucoup plus violent.

– Quoi, par exemple ? demanda Tristam.

– Des pluies torrentielles, des maladies, des inondations, des tempêtes, des sécheresses, tout est devenu terrible. Le niveau des océans est monté, des vagues gigantesques sont apparues. Les hommes n'ont plus pu vivre près des océans. Ensuite, c'est presque toute la surface de la Terre qui est devenue inhabitable.

– À part quelques endroits comme ici, au milieu de ce qui reste de cette forêt, enchaîna le lieutenant.

– Mais… la forêt… ?

– Il s'est mis à faire trop chaud, trop humide. La plupart des arbres n'ont pas survécu à ces changements.

– Alors, ça veut dire qu'on a tué la Terre ?

– Pas tout à fait, répondit Wahking. La Terre est bien plus forte qu'on ne croit. Elle n'a pas besoin de nous. Regarde, là, entre les troncs, il y a déjà des nouvelles plantes, qui se sont adaptées à ces conditions.

– Et pourquoi les hommes n'ont rien fait ?

– Ils ne savaient pas que cela allait arriver, répondit Myrtille.

– Si, fit Wahking, pâle comme un nuage. Ils le savaient. Mais ils fermaient les yeux.

Myrtille dévisagea le lieutenant : il disait la même chose que le Tyran.

– Le roi du Nord avait découvert que le Tyran faisait exprès de continuer à dérégler le climat, reprit Wahking. Il voulait convaincre les gens de changer leur mode de vie. S'il avait réussi, le Tyran aurait perdu le pouvoir et beaucoup d'argent. C'est pour cela que ce monstre l'a anéanti.

– Mais qu'est-ce qu'on va faire ? gémit Tristam.

— Il faut l'arrêter, déclara le lieutenant. Et moi, j'ai un plan.

Myrtille vit dans le regard de l'ancien chef de la police de la Cité Blanche cette étrange lueur que Tristam avait aperçue lui aussi avant de partir au secours de son amie.

— Tristam, continua Wahking, écoute-moi bien. Pouvoir prédire le temps est une des capacités humaines les plus rares. Nous pouvons tous voir le temps qu'il fait, ou ressentir l'air et les vents. Mais prédire le temps longtemps à l'avance, ou définir le climat, c'est extrêmement difficile. Le don ne suffit pas ; il faut beaucoup de concentration.

« Mince », pensa Tristam, qui n'avait jamais réussi à se concentrer plus d'une minute.

— Il va falloir que tu travailles, continua le lieutenant. Nous aurons besoin de ton talent pour reconquérir le royaume du père de Myrtille.

Tristam regarda le paysage désolé qui s'étalait à ses pieds. Il pensa à Tom, à sa mère. Puis il se tourna vers Myrtille et crut lire sur ses lèvres ce qu'elle était en train de se chuchoter à elle-même. « J'y arriverai sans me battre, se disait-elle, sans faire souffrir des gens. »

Au-dessus d'eux, les nuages se dissipèrent et le ciel bleu apparut.

Tristam se rappela alors ce que sa mère lui disait quand il était enfant :

La Terre est comme une cabane qui flotte dans l'Univers. Elle nous protège de l'espace, elle nous nourrit, elle nous donne son air. Tristam, souviens-toi bien de ceci : de cabane, nous n'en avons qu'une. Et nous l'avons déjà bien abîmée.

Il tira sur le collier et regarda l'arc-en-ciel à l'intérieur du cristal. Puis il le porta à ses lèvres et chuchota tout bas : « Je vais sauver notre cabane, je te le promets. »

Comme s'il espérait entendre ces mots, le cristal scintilla légèrement.

Remerciements

Pour avoir eu la gentillesse de vérifier les informations scientifiques contenues dans ce livre, merci beaucoup au Laboratoire de Météorologie physique de l'Université Blaise Pascal de Clermont-Ferrand.

Merci à la Cloud Appreciation Society, qui m'a aidé dans le choix des photos de nuages.

Merci à Frédérique Fraisse et à Malina Stachurska pour leur collaboration.

Merci à Jean-Claude Dubost, Natacha Derevitsky et Glenn Tavennec, Florence de Lavalette, Marianne Ganeau, Nicole Lhote et Bénédicte Paloc, Isabelle Lepreux, Nicolas Watrin et Christine Colinet, Thierry Diaz et Chantal Moscatelli, Aurélie Jeannerod et Marianne Franconie, ainsi qu'à Évelyne Mathiaud.

Avant de finir, je voudrais dire à Margareta, Éric, Nicolas, Jim, Élia, Juliette et Emmanuel que je leur offrirai un nuage à chacun dès que j'aurai réussi à en attraper.

Et maintenant, si vous voulez bien fermer les yeux ou vous retourner un instant, je vais embrasser celle qui a inspiré la plus belle et la plus douce des femmes de ce livre : Kéa.

Table des encadrés scientifiques

L'eau et les nuages 19-20

La lumière.. 27

Les couleurs 36-37

Pourquoi le ciel est-il bleu le jour ?............................ 55-56

Pourquoi le ciel est-il rouge le soir ? 63

Que se cache-t-il dans le noir de la nuit, entre les étoiles ?....... 85

L'effet de serre.. 109-110

Les étoiles 136

La Voie Lactée 137

Pourquoi les nuages sont-ils blancs ? 146

L'oxygène 167

L'atmosphère terrestre... 182

Le Soleil 199-200

Les rotations de la Terre...................................... 208-209

L'électricité de l'atmosphère.................................... 219

L'électricité au sol... 225

Comment l'atmosphère répartit-elle la chaleur du Soleil ? 237- 238

Comment l'atmosphère répartit-elle la chaleur du Soleil ?
(suite).. 249

Les cyclones tropicaux.. 262-263

La foudre 272-273

Les jet-streams 280-281

Quelques aspects du réchauffement climatique 317

Notes

....
....
....
....
....
....
....
....
....
....
....
....
....
....
....
....
....
....
....
....
....
....
....
....
....
....
....
....
....

www.leprincedesnuages.fr

Imprimé en France par **CPI**
en janvier 2017
N° d'impression : 3020934

Dépôt légal : juin 2011
Suite du premier tirage : février 2017

Pocket Jeunesse, une marque d'Univers Poche,
est un éditeur qui s'engage pour
la préservation de son environnement
et qui utilise du papier fabriqué à partir
de bois provenant de forêts gérées
de manière responsable.

www.pocketjeunesse.fr
PKJ • POCKET JEUNESSE

12, avenue d'Italie - 75627 PARIS Cedex 13